D1500767

El liberalismo y sus desencantados

El liberalismo y sus desencantados

Cómo defender y salvaguardar nuestras democracias liberales

FRANCIS FUKUYAMA

Traducción de Jorge Paredes Soberón

EDICIONES DEUSTO

Título original: *Liberalism and Its Discontents*

Deusto es un sello editorial de Centro de Libros PAPF, SLU.
Av. Diagonal, 662-664
08034 Barcelona

www.planetadelibros.com

ISBN: 978-84-234-3401-5
Depósito legal: B. 11.067-2022
Primera edición: septiembre de 2022
Preimpresión: Realización Planeta
Impreso por Black Print CPI

Impreso en España - *Printed in Spain*

El papel utilizado para la impresión de este libro está calificado como papel ecológico y procede de bosques gestionados de manera sostenible.

Sumario

Introducción

Este libro pretende ser una defensa del liberalismo clásico, o bien —en caso de que este término esté demasiado cargado de connotaciones históricas— de lo que Deirdre McCloskey denomina «liberalismo humano».[1] Creo que en la actualidad el liberalismo se encuentra seriamente amenazado en todo el mundo; si bien se asumió como algo natural en su día, sus virtudes y su valor tienen que exponerse y ponderarse de nuevo.

Por *liberalismo* me refiero a la doctrina surgida por primera vez en la segunda mitad del siglo XVII y que aboga por la limitación de los poderes de los gobiernos o los Estados mediante las leyes y, en última instancia, las constituciones, así como con la creación de instituciones que protejan los derechos de los individuos que viven bajo su jurisdicción. No me refiero al «liberalismo» con el que se hace referencia actualmente en Estados Unidos a las políticas de centroizquierda; ese conjunto de ideas, como veremos, difiere del liberalismo clásico en algunos aspectos cruciales. Tampoco hace referencia a lo que en este país se denomina «libertarismo», el cual es una doctrina peculiar basa-

1. McCloskey, Deirdre N., *Why liberalism works: how true liberal values produce a freer, more equal, prosperous world for all*, Yale University Press, New Haven (Connecticut), 2019.

da en la oposición al gobierno o al Estado como tales. Asimismo, tampoco utilizo el término *liberal* en el sentido europeo, el cual define a partidos de centroderecha escépticos con el socialismo. El liberalismo clásico es un gran paraguas bajo el que se cobija una amplia gama de posicionamientos políticos que, no obstante, coinciden en cuanto a la importancia fundamental de la igualdad de los derechos individuales, la ley y la libertad.

Es evidente que el liberalismo ha estado en horas bajas en los últimos años. Según Freedom House, los derechos políticos y las libertades aumentaron en todo el mundo durante las tres décadas y media transcurridas entre 1974 y principios de la década de los 2000, pero llevan quince años seguidos disminuyendo hasta 2021, durante lo que se ha dado en llamar «recesión democrática» o incluso «depresión democrática».[2]

En las democracias liberales consolidadas, son las instituciones liberales las que han sido objeto de un ataque directo. Líderes como Viktor Orbán en Hungría, Jarosław Kaczyński en Polonia, Jair Bolsonaro en Brasil, Recep Tayyip Erdoğan en Turquía y Donald Trump en Estados Unidos fueron elegidos democráticamente y han utilizado sus mandatos electorales para atacar a las instituciones liberales a la primera oportunidad. Entre ellas se incluyen los tribunales y el sistema judicial, las administraciones estatales imparciales, los medios de comunicación independientes y otros organismos cuya función es limitar el poder ejecutivo mediante un sistema de controles y contrapesos. Orbán ha tenido bastante éxito a la hora de situar al grueso de los medios de comunicación de Hungría bajo el control de sus aliados. Trump tuvo menos en sus intentos de debilitar instituciones como el Departamento de Justicia, los servicios de inteligencia, los tribunales y los principales medios de comunicación, pero su intención era fundamentalmente la misma.

2. Véase *Freedom in the World 2021: democracy under siege*, Freedom House, Washington, D. C., marzo de 2021; este informe rebaja la puntuación de libertad tanto de Estados Unidos como de la India en 2020; Larry Diamond, «Facing up to the democratic recession», *Journal of Democracy*, 26 (2015), pp. 141-155.

El liberalismo no sólo ha sido cuestionado en los últimos años por populistas de derechas, sino también por una renovada izquierda progresista. La crítica de este sector nace de la acusación —de por sí correcta— de que las sociedades liberales no estaban a la altura de sus ideales de ofrecer un trato igualitario a todos los grupos. Esta crítica fue ampliándose con el tiempo, hasta atacar los principios mismos del liberalismo, como dar prioridad a los derechos individuales frente a los colectivos, la premisa de la igualdad universal entre los hombres en la que se han basado las constituciones y los derechos liberales y el valor de la libertad de expresión y el racionalismo científico como métodos para comprender la realidad. En la práctica, esto ha provocado la intolerancia ante opiniones que se alejan de la ortodoxia progresista y el uso de diferentes formas de poder social para imponer dicha ortodoxia. Las voces discordantes han sido apartadas de posiciones de influencia y los libros discrepantes han sido vetados en la práctica, no por los gobiernos, sino por organizaciones poderosas que controlan su distribución masiva.

A los populistas de derechas y a los progresistas de izquierdas, el liberalismo actual no les desagrada, en mi opinión, a causa de una debilidad fundamental en la doctrina, sino que están descontentos por la manera en que el liberalismo ha evolucionado a lo largo del último par de generaciones. Desde finales de la década de 1970, el liberalismo económico ha evolucionado hacia lo que actualmente se denomina «neoliberalismo», el cual ha incrementado drásticamente la desigualdad económica y ha provocado devastadoras crisis financieras que perjudican a la gente corriente mucho más que a las élites adineradas en muchos países del mundo. En esta desigualdad se basa el argumento progresista en contra del liberalismo y del sistema capitalista a él asociado. Las normas institucionales del liberalismo protegen los derechos de todo el mundo, incluyendo a las élites existentes reacias a renunciar tanto a su riqueza como a su poder y que, por tanto, representan un obstáculo en el camino hacia la justicia social de los grupos excluidos. El liberalismo constituyó la base ideológica de la economía de mercado y, por consiguiente, está, en opinión de muchos, implicado en las desigualdades que conlleva el capitalismo. En Estados Unidos y Europa, muchos jóvenes e impacientes activistas de la generación Z consideran el liberalismo como un enfoque pasado de moda, propio de la generación del *baby boom*, un «sistema» incapaz de reformarse a sí mismo.

A la vez, la idea de la autonomía personal se expandió incesantemente y pasó a ser considerada un valor superior a todas las otras ideas sobre la «vida buena», incluyendo aquellas planteadas por las religiones y la cultura tradicionales. Los conservadores lo interpretaron como una amenaza a sus convicciones más profundas y consideraron que estaban siendo discriminados activamente por la sociedad en general. Pensaron que las élites estaban empleando una serie de medios antidemocráticos —su control de los medios de comunicación generalistas, las universidades, los tribunales y el poder ejecutivo— para impulsar su programa. El hecho de que los conservadores ganaran gran cantidad de elecciones en Estados Unidos y Europa durante este período no pareció influir en absoluto en la desaceleración del maremoto del cambio cultural.

Ese desencanto ante la manera en que el liberalismo ha evolucionado en las últimas décadas ha traído consigo demandas, tanto de la derecha como de la izquierda, de que la doctrina sea sustituida de raíz por un tipo de sistema diferente. Por parte de la derecha, se han llevado a cabo intentos de manipular el sistema electoral de Estados Unidos con el fin de garantizar la permanencia de los conservadores en el poder, con independencia de lo que se haya elegido democráticamente; otros han coqueteado con el uso de la violencia y de un gobierno autoritario como respuesta a lo que interpretan como una amenaza. Por parte de la izquierda, existen demandas de una redistribución masiva de la riqueza y del poder, así como del reconocimiento de los grupos en lugar de los individuos, basándose en unas características determinadas como la raza y el sexo, y políticas tendentes a igualar los resultados entre ellas. Dado que no es probable que nada de esto suceda sobre la base de un consenso social, los progresistas están encantados de seguir recurriendo a los tribunales, los órganos ejecutivos y su considerable poder social y cultural para impulsar su programa.

Esas amenazas al liberalismo no son simétricas. La procedente de la derecha es más inmediata y política; la de la izquierda es fundamentalmente cultural y, por tanto, de acción más lenta. Ambas están impulsadas por desencantos hacia el liberalismo que no tienen que ver con la esencia de la doctrina, sino más bien con la forma en que determinadas ideas liberales sensatas han sido interpretadas y llevadas al extremo. La respuesta a esos desencantos no es abandonar el liberalismo como tal, sino moderarlo.

El plan del presente libro es el siguiente. En el Capítulo 1 se definirá *liberalismo* y se presentarán sus tres principales justificaciones históricas. En los Capítulos 2 y 3 se analizará cómo el liberalismo económico evolucionó en la forma más extrema de *neoliberalismo*, lo que provocó una fuerte oposición y un notorio desencanto respecto al propio capitalismo. En los Capítulos 4 y 5 se estudiará cómo se absolutizó el principio liberal básico de la autonomía personal y cómo se convirtió en una crítica al individualismo y al universalismo en que se basaba el liberalismo. En el Capítulo 6 se hace referencia a la crítica de la ciencia natural moderna liderada en primer lugar por la izquierda progresista, pero que se extendió rápidamente a la derecha populista; mientras que en el Capítulo 7 se describe cómo la tecnología moderna ha cuestionado el principio liberal de la libertad de expresión. En el Capítulo 8 se plantea si la derecha o la izquierda tienen alternativas viables al liberalismo. En el Capítulo 9 se examina el desafío planteado al liberalismo por la necesidad de una identidad nacional y en el Capítulo 10 se exponen los principios generales necesarios para recuperar la fe en el liberalismo clásico.

No pretendo que el presente libro sea una historia del pensamiento liberal. Numerosos autores importantes han contribuido a la formación de la tradición liberal, así como muchos críticos con el liberalismo a lo largo de los años.[3] Existen cientos, por no

3. Véase, por ejemplo, Fawcett, Edmund, *Sueños y pesadillas liberales en el siglo* XXI, traducción de Roberto Ramos Fontecoba, Página Indómita, Barcelona, 2019; Rosenblatt, Helena, *La historia olvidada del liberalismo: desde la antigua Roma hasta el siglo* XXI, traducción de Yolanda Fontal, prólogo de

decir miles, de libros que hacen sus respectivas aportaciones. Por mi parte, quiero centrarme en las que considero que son las ideas fundamentales subyacentes en el liberalismo contemporáneo, así como en algunas de las graves debilidades de que adolece la teoría liberal.

Escribo este libro en una época en la que el liberalismo ha sido objeto de numerosas críticas y cuestionamientos y es, para muchas personas, una ideología anticuada y caduca incapaz de responder a los desafíos de nuestro tiempo. No es la primera vez que ha sido criticado. En cuanto se convirtió en una ideología vigente en el período inmediatamente posterior a la Revolución francesa, el liberalismo fue objeto de ataques por parte de críticos románticos que consideraban que estaba basado en una visión del mundo calculadora y estéril. Posteriormente lo atacaron los nacionalistas, que en la época de la Primera Guerra Mundial habían arrasado en el campo de batalla, así como los comunistas que les hacían frente. Fuera de Europa, las doctrinas liberales arraigaron en algunas sociedades como la India, pero fueron cuestionadas rápidamente por movimientos nacionalistas, marxistas y religiosos.

No obstante, el liberalismo sobrevivió a esos desafíos y se convirtió en el principio organizador dominante de gran parte de la política mundial a finales del siglo XX. Su perdurabilidad es un reflejo del hecho de que presenta justificaciones prácticas, morales y económicas que resultan atractivas para muchas personas, especialmente para aquellas cansadas de las violentas disputas engendradas por sistemas políticos alternativos. No se trata, como dijo Vladímir Putin, de una doctrina «obsoleta», sino de una doctrina que sigue siendo necesaria en el diverso e interconectado mundo actual. Por esta razón, no sólo resulta necesario exponer de nuevo las justificaciones de la política liberal, sino también explicar las razones por las cuales mucha gente la considera insuficiente hoy en día.

José María Lassalle, Crítica, Barcelona, 2020; Siedentop, Larry, *Inventing the Individual: the Origins of Western Liberalism*, Allen Lane, Londres, 2014; Gray, John, *Liberalisms: essays in political philosophy*, Routledge, Londres y Nueva York, 1989.

Especialmente desde 2016, ha habido una gran abundancia de libros, artículos y manifiestos que analizan los defectos del liberalismo y ofrecen consejos sobre cómo éste debería adaptarse a las circunstancias actuales.[4] He dedicado gran parte de mi vida a investigar, enseñar y escribir sobre política pública, y tengo infinidad de ideas acerca de iniciativas específicas que se podrían llevar a cabo para mejorar la vida en nuestras democracias liberales contemporáneas. Sin embargo, en lugar de presentar una lista interminable, el presente libro se centrará más específicamente en los principios básicos que sustentan un régimen liberal, con el fin de exponer algunos de sus defectos y, sobre esa base, proponer maneras de abordarlos. Sean cuales sean dichos defectos del liberalismo, quiero demostrar que sigue siendo preferible a las alternativas iliberales. Cedo a otros la tarea de extraer conclusiones políticas más específicas de los principios generales.

Me gustaría dar las gracias a mi editor británico Andrew Franklin, de Profile Books, por animarme a escribir el presente volumen. Andrew ha publicado mis nueve libros anteriores y ha sido un magnífico editor y valedor durante décadas. Asimismo, me gustaría dar las gracias a mi editor estadounidense Eric Chinski, de Farrar, Straus and Giroux, por sus inestimables consejos sobre fondo y forma. Mis agentes literarias Esther Newberg, Karolina Sutton y Sophie Baker han realizado, como siempre, un trabajo excepcional a la hora de llevar el presente libro a un público más amplio. En el otoño de 2020 trabajé conjuntamente con Jeff Gedmin y otros colegas en la creación de un nuevo diario digital, *American Purpose*, para el cual escribí el artículo principal en que se basa este libro.[5] Ese ensayo pretendía definir los objetivos de *American Purpose*, con la esperanza de contribuir al debate político e ideológico en el que estamos in-

4. Luce, Edward, *The Retreat of Western Liberalism*, Atlantic Monthly Press, Nueva York, 2017; Garton Ash, Timothy, «The Future of Liberalism», *Prospect*, 9 de diciembre de 2020.

5. Fukuyama, Francis, «Liberalism and its discontents», *American Purpose*, 3 de octubre de 2020.

mersos actualmente. Me gustaría agradecer a mis colegas y al personal de la revista, así como a Samuel Moyn, Shadi Hamid, Ian Bassin, Jeet Heer, Dhruva Jaishankar, Shikha Dalmia, Aaron Sibarium, Joseph Capizzi y Richard Thompson Ford sus comentarios al artículo original. Me gustaría agradecer a varias personas por sus consejos y comentarios, incluidos Tara Isabella Burton, Gerhard Casper, Mark Cordover, David Epstein, Larry Diamond, Mathilde Fasting, David Fukuyama, Bill Galston, Jeff Gedmin, Erik Jensen, Yascha Mounk, Marc Plattner y Abe Shulsky. Finalmente, quiero dar las gracias a Ben Zuercher por su trabajo como ayudante de investigación.

1

¿Qué es el liberalismo clásico?

Existen diversas características generales que definen el liberalismo y que lo distinguen de otras doctrinas y sistemas políticos. En palabras de John Gray:

> Existe una concepción definida del hombre y de la sociedad, moderna en su carácter, que es común a todas las variantes de la tradición liberal [...]. Es *individualista* en cuanto que afirma la primacía moral de la persona frente a exigencias de cualquier colectividad social; es *igualitaria* porque confiere a todos los hombres el mismo estatus moral y niega la aplicabilidad, dentro de un orden político o legal, de diferencias en el valor moral entre los seres humanos; es *universalista*, ya que afirma la unidad moral de la especie humana y concede una importancia secundaría a las asociaciones históricas específicas y a las formas culturales; y es *meliorista*, por su creencia en la corregibilidad y las posibilidades de mejoramiento de cualquier institución social y acuerdo político. Es esta concepción del hombre y la sociedad la que da al liberalismo una identidad definida que trasciende su vasta variedad interna y complejidad.[6]

6. Gray, John, *Liberalismo*, Alianza Editorial, Madrid, 2002.

Las sociedades liberales otorgan derechos a los individuos, el más fundamental de los cuales es el derecho a la autonomía, esto es, la capacidad de tomar decisiones relacionadas con la expresión, la asociación, las creencias y, en última instancia, la vida política. Dentro de la esfera de la autonomía se enmarca el derecho a la propiedad privada y a realizar transacciones económicas. Con el tiempo, la autonomía incluiría, asimismo, el derecho a ostentar una parte del poder político a través del derecho al voto.

Huelga decir que los primeros liberales tenían una concepción limitada acerca de quiénes podían ser calificados como seres humanos titulares de derechos. Inicialmente, en Estados Unidos y otros regímenes «liberales», el círculo se limitaba a terratenientes blancos, y sólo con posterioridad se amplió a otros grupos sociales. Sin embargo, esas restricciones de derechos eran contrarias a las declaraciones de igualdad entre los hombres contenidas tanto en los escritos doctrinales de teóricos del liberalismo, tales como Thomas Hobbes y John Locke, como en ciertos documentos fundacionales, como la Declaración de Independencia de Estados Unidos o la Declaración de Derechos del Hombre y del Ciudadano de la Revolución francesa. La tensión entre teoría y práctica, así como la movilización popular de los grupos excluidos, impulsó la evolución de los regímenes liberales hacia un reconocimiento más amplio e inclusivo de la igualdad humana. En este sentido, el liberalismo difería sin duda de las doctrinas nacionalistas o las basadas en la religión que limitaban de forma explícita los derechos a determinadas razas, etnias, sexos, confesiones, castas o grupos sociales.

Las sociedades liberales incorporan derechos en el derecho formal (la reglamentación) y, por tanto, tienden a ser notablemente procedimentales. El derecho es tan sólo un sistema de normas explícitas que determinan cómo tienen que resolverse los conflictos y cómo deben tomarse las decisiones colectivas, encarnado en un conjunto de instituciones legales que funcionan de manera semiautónoma del resto del sistema político, de modo que no puede ser objeto de abuso por parte de los políticos para obtener ventajas a corto plazo. Con el paso del tiempo, dichas normas se han vuelto progresivamente más complejas en la mayoría de las sociedades liberales avanzadas.

A menudo, el liberalismo se encuentra subsumido dentro del término *democracia*, aunque, en sentido estricto, liberalismo y democracia se basan en principios e instituciones distintos. *Democracia* significa «gobierno del pueblo», lo cual hoy en día está institucionalizado en elecciones multipartidistas y justas, periódicas y libres mediante sufragio universal. En el sentido en que yo empleo el término, *liberalismo* se refiere al principio de legalidad, un sistema de normas formales que restringe los poderes del ejecutivo, incluso aunque ese ejecutivo haya sido legitimado mediante unas elecciones. Por consiguiente, lo adecuado sería referirnos a *democracia liberal* al hablar del tipo de régimen que ha prevalecido en América del Norte, Europa, partes del este y del sur de Asia y otros lugares del mundo desde el final de la Segunda Guerra Mundial. Estados Unidos, Alemania, Francia, Japón y la India se establecieron como democracias liberales en la segunda mitad del siglo XX, si bien algunas, como Estados Unidos y la India, han ido experimentando un retroceso en ese sentido en los últimos años.

Es el liberalismo, más que la democracia, lo que ha sido objeto de ataques más duros en los últimos años. Hoy en día, poca gente sostiene que los gobiernos no deberían reflejar los intereses «del pueblo», e incluso regímenes manifiestamente autocráticos como los de China o Corea del Norte, afirman actuar en su nombre. Vladímir Putin se sigue sintiendo obligado a celebrar «elecciones» periódicas, y parece importarle contar con el apoyo popular, como sucede con muchos otros líderes autoritarios *de facto* en todo el mundo. Por otro lado, Putin ha dicho que el liberalismo es una «doctrina obsoleta»,[7] y se ha esforzado por silenciar a los críticos, encarcelar, matar o acosar a sus oponentes y eliminar cualquier espacio cívico independiente. La China de Xi

7. Barber, Lionel, Henry Foy y Alex Barker, «Vladimir Putin says Liberalism has "become obsolete"», *Financial Times*, 27 de junio de 2019. Véase: <https://www.ft.com/content/670039ec-98f3-11e9-9573-ee5cbb98ed36>. [Consulta: 11/04/2022]

Jinping se ha opuesto a la idea de que debería haber restricciones al poder del Partido Comunista, y ha intensificado su control sobre todos los aspectos de la sociedad china. Viktor Orbán, de Hungría, ha declarado explícitamente que aspira a construir una «democracia iliberal» en el corazón de la Unión Europea.[8]

Cuando la democracia liberal entra en recesión, son las instituciones liberales las que actúan como pilotos de alarma ante el mayor ataque autoritario que se avecina. Las instituciones liberales protegen el proceso democrático limitando el poder ejecutivo; una vez erosionadas, la propia democracia se ve atacada. Entonces, los resultados electorales pueden ser manipulados mediante la demarcación arbitraria e injusta de los distritos electorales, normas restrictivas del derecho al voto, o acusaciones falsas de fraude electoral. Los enemigos de la democracia se aseguran la permanencia en el poder, independientemente de la voluntad popular. De los muchos ataques de Donald Trump a las instituciones estadounidenses, el más grave, con mucha diferencia, fue su negativa a aceptar su derrota en las elecciones presidenciales de 2020 y a ceder pacíficamente el poder a su sucesor.

Desde un punto de vista normativo, creo que tanto el liberalismo como la democracia están moralmente justificados y son necesarios como una cuestión de política práctica; constituyen dos de los tres pilares de un gobierno adecuado, y ambos son esenciales como límites al tercer pilar, el Estado moderno, punto que desarrollé con cierto detalle en mis obras *Los orígenes del orden político* y *Orden y decadencia de la política*.[9] Sin embargo, en los primeros casos, la actual crisis de la democracia liberal no gira tanto en torno a la democracia en sentido estricto como en torno

8. Tóth, Csaba, «Full text of Viktor Orbán's Speech at Băile Tuşnad (Tusnádfürdő) of 26 July 2014», *The Budapest Beacon*, 29 de julio de 2014. Véase: <https://budapestbeacon.com/full-text-of-viktor-orbans-speech-at-baile-tusnad-tusnadfurdo-of-26-july-2014/>. [Consulta: 11/04/2022]

9. Fukuyama, Francis, *Los orígenes del orden político: desde la prehistoria hasta la Revolución francesa*, traducción de Jorge Paredes Soberón, Deusto, Barcelona, 2016. *Orden y decadencia de la política: desde la Revolución Industrial a la globalización de la democracia*, traducción de Jorge Paredes Soberón, Deusto, Barcelona, 2016.

a las instituciones liberales. Además, lo que se asocia con el crecimiento económico y la prosperidad del mundo moderno es el liberalismo, mucho más que la democracia. Como veremos en los Capítulos 2 y 3, el crecimiento económico desvinculado de los planteamientos de igualdad y justicia puede ser muy problemático, pero el crecimiento sigue siendo una condición previa indispensable para la mayoría de las otras cosas positivas que tratan de lograr las sociedades.

A lo largo de los siglos se han planteado tres justificaciones fundamentales de las sociedades liberales. La primera se basa en un argumento pragmático: el liberalismo es una forma de regular la violencia y permitir que poblaciones distintas convivan pacíficamente unas con otras. La segunda es moral: el liberalismo protege la dignidad humana básica y, en particular, la autonomía humana: la capacidad de cada individuo de tomar decisiones. La justificación final es económica: el liberalismo promueve el crecimiento económico y todas las cosas buenas que conlleva, protegiendo los derechos de propiedad y la libertad de realizar transacciones.

El liberalismo está estrechamente vinculado a determinadas formas de cognición, en especial al método científico, el cual está considerado el mejor medio para entender y manipular el mundo que nos rodea. Los individuos son considerados los mejores jueces de sus propios intereses, y son capaces de asimilar y probar información empírica sobre el mundo exterior al llevar a cabo dichos juicios. Si bien los juicios variarán necesariamente, existe una convicción liberal de que en un mercado libre de ideas, las buenas ideas acabarán por desplazar a las malas mediante la deliberación y la evidencia.

El argumento pragmático a favor del liberalismo tiene que entenderse en el contexto histórico en el que aparecieron por vez primera las ideas liberales. La doctrina surgió a mediados del siglo XVII, en una época próxima al fin de las guerras de religión que tuvieron lugar en Europa, un período de ciento cincuenta años de violencia casi permanente provocado por la Reforma protestante. Se calcula que casi un tercio de la población de Europa central murió en el transcurso de la guerra de los Treinta

Años, si no como consecuencia directa de la violencia, a causa de la hambruna y las enfermedades provocadas por el conflicto militar. Las guerras religiosas de Europa fueron impulsadas por factores económicos y sociales, como la avaricia de los monarcas que querían hacerse con las propiedades de la Iglesia. Sin embargo, su fiereza se debió al hecho de que los bandos combatientes representaban a diferentes sectas cristianas que querían imponer su particular interpretación del dogma religioso a su población. Martín Lutero se enfrentó al emperador Carlos V; la Liga Católica combatió contra los hugonotes en Francia; Enrique VIII trató de separar la Iglesia de Inglaterra de la de Roma; y hubo conflictos dentro de las facciones protestante y católica entre anglicanos pertenecientes a las Iglesias alta y baja, entre zuinglianos y luteranos y muchos otros. Fue un período en el que los herejes eran quemados habitualmente en la hoguera o apresados y descuartizados por profesar su fe en cosas como la «transustanciación», con un nivel de crueldad que es difícil de entender como consecuencia únicamente de motivos económicos.

El liberalismo pretendía rebajar las aspiraciones de la política, no como un medio de buscar la vida buena tal como la define la religión, sino más bien como un medio de garantizar la propia vida, es decir, la paz y la seguridad. Thomas Hobbes, que escribía en plena guerra civil inglesa, era monárquico, pero consideraba que un Estado fuerte era fundamentalmente una garantía de que la humanidad no volvería a sumirse en una guerra de «todos contra todos». El miedo a una muerte violenta era, en su opinión, la pasión más poderosa, compartida de manera universal por los seres humanos a un nivel no alcanzado por las creencias religiosas. Por tanto, el primer deber del Estado era proteger el derecho a la vida. Ése fue el origen remoto de la frase «*vida*, libertad y búsqueda de la felicidad» de la Declaración de Independencia de Estados Unidos. Partiendo de esa base, John Locke observó que la vida también podía verse amenazada por un Estado tiránico y que el propio Estado tenía que estar limitado por el «consentimiento de los gobernados».

Por consiguiente, el liberalismo clásico puede entenderse como una solución institucional al problema de gobernar la diversidad o, dicho de otro modo, de gestionar pacíficamente la diversidad en sociedades plurales. El principio fundamental consagrado en el liberalismo es el de la tolerancia: no significa que tengas que estar de acuerdo con tus conciudadanos en las cosas más importantes, sino simplemente que cada individuo debería poder decidir qué ser sin interferencias por tu parte o por parte del Estado. El liberalismo rebaja la temperatura política quitando de encima de la mesa las cuestiones sobre los fines últimos: puedes creer lo que quieras, pero debes hacerlo en tu vida privada y no tratar de imponer tus opiniones a tus conciudadanos.

Las clases de diversidad que pueden gestionar con éxito las sociedades liberales no son ilimitadas. Si una parte significativa de la sociedad no acepta los principios liberales y pretende restringir los derechos fundamentales de otras personas, o si los ciudadanos recurren a la violencia para obtener lo que quieren, el liberalismo no es suficiente para mantener el orden político. Ésa era la situación en Estados Unidos antes de 1861, cuando el país estaba desgarrado por el problema de la esclavitud, que acabó desembocando en una guerra civil (la guerra de Secesión). Durante la Guerra Fría, las sociedades liberales de Europa occidental se enfrentaron a amenazas parecidas por parte de los partidos eurocomunistas en Francia e Italia; y, en el Oriente Próximo contemporáneo, las perspectivas de una democracia liberal se han resentido a causa de las fundamentadas sospechas de que habrá partidos islamistas, como los Hermanos Musulmanes en Egipto, que no aceptarán las reglas del juego liberales.

La diversidad puede adoptar muchas formas; en la Europa del siglo XVII era religiosa, pero también puede basarse en la nacionalidad, el origen étnico, la raza u otras creencias. La sociedad bizantina estaba dividida por una fuerte polarización entre los Azules y los Verdes, equipos de carreras rivales en el hipódromo de Constantinopla, y que se correspondían con las sectas cristianas que profesaban las doctrinas del monofisismo y el monotelismo, respectivamente. En la actualidad, Polonia es una de las sociedades más homogéneas de Europa desde el punto de vista étnico y religioso y, aun así, existe una fuerte polarización entre los grupos sociales de sus ciudades cosmopolitas y otros grupos más conservadores de las zonas rurales. Los seres humanos son muy buenos a la hora de dividirse en bandos para combatir unos con otros, ya sea de manera metafórica o literal; así, la diversidad es una de las características predominantes de muchas sociedades humanas.[10]

El principal atractivo del liberalismo sigue siendo el aspecto pragmático que ya existía en el siglo XVII: si sociedades diversas como la India o Estados Unidos se apartan de los principios liberales y tratan de basar la identidad nacional en la raza, el grupo étnico, la religión o alguna otra visión sustantiva de la vida buena, están propiciando la vuelta a un conflicto potencialmente violento. Estados Unidos sufrió un conflicto de ese tipo durante su guerra de Secesión; y, en la India, el primer ministro Modi está en la actualidad propiciando la violencia comunitaria al transformar su identidad nacional en una basada en el hinduismo.

La segunda justificación de una sociedad liberal es moral: una sociedad liberal busca proteger la dignidad humana otorgando a sus ciudadanos un derecho igualitario a la autonomía. La capacidad de tomar decisiones vitales es una característica humana fundamental. Cada individuo quiere determinar los objetivos de su vida: lo que quiere hacer para ganarse la vida, con quién casarse, dónde vivir, con quién asociarse y hacer transacciones, de qué y cómo hablar y en qué creer. Es esta libertad la que confiere dignidad a los seres humanos y, a diferencia de la inteligencia, el aspecto físico, el color de la piel u otras características secundarias, es universalmente compartida por todos.

De algún modo, la ley protege la autonomía reconociendo e imponiendo el cumplimiento del derecho a la libertad de expresión, de asociación y de culto. Sin embargo, con el tiempo, la autonomía ha pasado a incorporar el derecho a la participación en el poder político y en el autogobierno mediante el derecho al voto. De este modo, el liberalismo se ha vinculado a la democracia, la cual puede considerarse una expresión de la autonomía colectiva.

10. Véanse los ejemplos planteados en Dominic J. Packer y Jay Van Bavel, *The Power of Us: Harnessing Our Shared Identities to Improve Performance, Increase Cooperation, and Promote Social Harmony*, Little, Brown Spark, Nueva York y Boston, 2021.

La visión del liberalismo como un medio para proteger la dignidad humana básica que surgió en Europa en la época de la Revolución francesa ha quedado escrita en innumerables constituciones de democracias liberales de todo el mundo bajo la forma del «derecho a la dignidad» y aparece en las leyes fundamentales de países tan distintos como Alemania, Sudáfrica y Japón. A la mayoría de los políticos contemporáneos les costaría sobremanera explicar con precisión qué cualidades otorgan a las personas igual dignidad, pero tendrían una vaga idea de que tiene que ver con la capacidad de elección y la capacidad de tomar decisiones sobre la propia vida sin que se produzcan injerencias indebidas por parte del gobierno o de la sociedad en sentido amplio.

La teoría liberal afirmaba que tales derechos eran aplicables universalmente a todos los seres humanos, como en la frase inicial de la Declaración de Independencia de Estados Unidos: «Sostenemos como evidentes estas verdades: que todos los hombres son creados iguales». No obstante, en la práctica, los regímenes liberales hicieron distinciones odiosas entre individuos y no consideraban a todas las personas que se encontraban bajo su jurisdicción como seres humanos plenos. Estados Unidos no concedió la nacionalidad ni el derecho de sufragio a los afroamericanos hasta la promulgación de la decimocuarta, la decimoquinta y la decimosexta enmiendas tras la guerra de Secesión, y después de la llamada Reconstrucción les privó de nuevo de dichos derechos de forma vergonzosa durante un período que se prolongó hasta la época de los derechos civiles en la década de 1960. Asimismo, el país no reconoció el derecho al voto de las mujeres hasta la promulgación de la decimonovena enmienda en 1919. De modo parecido, las democracias europeas sólo reconocieron el derecho de voto a todos los adultos de manera gradual, eliminando las restricciones basadas en la propiedad, el sexo y la raza en un proceso lento que se prolongó hasta mediados del siglo XX.[11]

La tercera justificación principal del liberalismo tuvo que ver con su relación con el crecimiento económico y la moderniza-

11. Para una explicación de este proceso, véase Fukuyama, *Orden y decadencia de la política*, *op. cit.*, Capítulo 28.

ción. Para muchos liberales del siglo XIX, la forma de autonomía más importante era la capacidad de comprar, vender e invertir libremente en una economía de mercado. Los derechos de propiedad eran esenciales en el programa liberal, junto con la imposición del cumplimiento de los contratos mediante instituciones que redujesen los riesgos de hacer transacciones comerciales y de inversión con desconocidos. La justificación teórica de esto está clara: ningún empresario arriesgará dinero en un negocio si cree que al año siguiente lo expropiará un gobierno o se lo apropiarán empresas de la competencia o una organización criminal. Los derechos de propiedad tenían que estar respaldados por un gran aparato legal que incluyese un sistema de tribunales independientes, juristas, un colegio de abogados y un Estado capaz de utilizar sus poderes policiales para imponer a los particulares el cumplimiento de las sentencias.

La teoría liberal no sólo reivindica la libertad para comprar y vender dentro de las fronteras nacionales; de entrada, abogó por un sistema de libre comercio internacional. El libro *La riqueza de las naciones*, de Adam Smith, publicado en 1776, demostró lo poco eficaces que eran las restricciones mercantiles al comercio (por ejemplo, el requisito impuesto por el Imperio español de que los productos españoles fueran trasladados únicamente por barcos españoles a puertos españoles). David Ricardo sentó las bases de la moderna teoría del comercio con su teoría de la ventaja comparativa. Los regímenes liberales no seguían de manera necesaria esos dictados teóricos: tanto Gran Bretaña como Estados Unidos, por ejemplo, protegían sus primeras empresas con aranceles, hasta el punto de alcanzar una escala que les permitía competir sin ayuda gubernamental. Sin embargo, históricamente ha habido una fuerte vinculación entre liberalismo y libertad de comercio.

Los derechos de propiedad se contaron entre los primeros derechos garantizados por los incipientes regímenes liberales; y lo fueron mucho antes que los de asociación o voto. Los dos primeros países europeos en establecer derechos de propiedad sólidos fueron Inglaterra y los Países Bajos, los cuales desarrollaron una clase comercial emprendedora y experimentaron un crecimiento económico explosivo. En América del Norte, el *common law* inglés protegía los derechos de propiedad antes de la época en que las colonias consiguieron su independencia política. El *Rechtsstaat* alemán, basándose en códigos civiles como el *Allgemeines Landrecht* de Prusia de 1792, protegía la propiedad privada mucho antes de que en el territorio alemán hubiera un atisbo de democracia. Como Estados Unidos, la autocrática aunque liberal Alemania se industrializó rápidamente a finales del siglo XIX y se convirtió en una gran potencia económica a principios del siglo XX.

La conexión entre el liberalismo clásico y el crecimiento económico no es trivial. Entre 1800 y la actualidad, la producción por persona en el mundo liberal aumentó casi un 3.000 por ciento.[12] Dicho aumento se hizo patente a lo largo de todo el espectro económico, con los trabajadores corrientes disfrutando de unos niveles de salud, longevidad y consumo que, en épocas anteriores, no estaban al alcance ni siquiera de las élites más privilegiadas.

El lugar central que ocupaban los derechos de propiedad en la teoría liberal significaba que los principales valedores del liberalismo acostumbraban a ser las nuevas clases medias aparecidas como consecuencia de la modernización económica, y a las que Karl Marx denominaría «burguesía». Los patrocinadores originales de la Revolución francesa que realizaron el Juramento del Juego de Pelota en 1789 eran, en su mayoría, abogados de clase media que querían proteger sus derechos de propiedad frente a la monarquía y no estaban muy interesados en ampliar el voto a los *sans-culottes*. Lo mismo sucedió con los padres fundadores de Estados Unidos, la inmensa mayoría de los cuales procedían de una próspera clase media de comerciantes y colonos. En su Discurso ante la Convención de Virginia, James Madison afirmó que «los derechos de las personas y los derechos de propiedad son los objetos para cuya protección se instituyó el

12. McCloskey, Deirdre N., *Por qué el liberalismo funciona: Cómo los verdaderos valores liberales crean un mundo más libre, igualitario y próspero para todos*, Deusto, Madrid, 2020.

gobierno». En su ensayo *El federalista n.º 10*, señaló que de la necesaria protección de la propiedad surgirían inevitablemente clases sociales y desigualdad: «La diversidad en las facultades del hombre, donde se origina el derecho de propiedad, es un obstáculo insuperable a la unanimidad de los intereses. El primer objeto del gobierno es la protección de esas facultades. La protección de facultades diferentes y desiguales para adquirir propiedad, provoca inmediatamente la existencia de diferencias en cuanto a la naturaleza y extensión de la misma; y la influencia de éstas sobre los sentimientos y opiniones de los respectivos propietarios determina la división de la sociedad en diferentes intereses y partidos».[13]

Las actuales vicisitudes del liberalismo no son nuevas; la ideología ha estado y ha dejado de estar de moda a lo largo de los siglos, pero siempre ha vuelto a causa de sus ventajas subyacentes. Nació del conflicto religioso en Europa; el principio que afirma que los Estados no deberían tratar de imponer sus opiniones sectarias a los demás sirvió para estabilizar el continente en el período posterior a la Paz de Westfalia de 1648. El liberalismo fue una de las primeras fuerzas impulsoras de la Revolución francesa, y constituyó inicialmente un aliado de las fuerzas democráticas que querían ampliar la participación política más allá del estrecho círculo de las élites de clase media y alta. Sin embargo, los partidarios de la igualdad rompieron con los partidarios de la libertad e instauraron una dictadura revolucionaria que, en última instancia, dio paso al nuevo imperio bajo el poder de Napoleón. No obstante, este último desempeñó un papel trascendental al difundir el liberalismo bajo forma legal —el Código Napoleónico— a los más lejanos confines de Europa. De este modo, se convirtió en el pilar de un principio de legalidad liberal en el continente.

Después de la Revolución francesa, los liberales fueron apar-

13. Madison, James en *El federalista n.º 10*: «La utilidad de la Unión como salvaguarda contra facciones internas e insurrecciones». Hamilton, Alexander, James Madison y John Jay, *El federalista*, estudio preliminar de Ramón Maiz, traducción y notas de Daniel Blanch y Ramón Maiz, Akal, Tres Cantos (Madrid), 2015.

tados por otras doctrinas de derechas e izquierdas. La Revolución trajo consigo el principal competidor del liberalismo, que fue el nacionalismo. Los nacionalistas argumentaban que las jurisdicciones políticas deberían corresponder a unidades culturales, definidas en gran medida por la lengua y el origen étnico. Rechazaban el universalismo del liberalismo y pretendían otorgar derechos principalmente a su grupo preferido. A medida que avanzaba el siglo XIX, Europa se reorganizó, pasando de una base dinástica a una nacional, con la unificación de Italia y Alemania y una creciente agitación nacionalista en los imperios multiétnicos otomano y austrohúngaro. En 1914, esto desembocó en la Gran Guerra, en la cual murieron millones de personas y se allanó el camino a una segunda conflagración mundial en 1939.

La derrota de Alemania, Italia y Japón en 1945 sentó las bases de la recuperación del liberalismo como ideología dominante del mundo democrático. Los europeos se dieron cuenta de la locura que suponía organizar la política en torno a una concepción exclusiva y agresiva de nación, y crearon la Comunidad Europea y, con posterioridad, la Unión Europea, para subordinar de manera deliberada a los antiguos Estados nación a una estructura cooperativa transnacional.

La libertad de los individuos implicaba necesariamente la libertad de los pueblos coloniales conquistados por las potencias europeas, lo que provocó el rápido desplome de sus imperios de ultramar. En algunos casos, a las colonias se les concedió la independencia de modo voluntario; en otros, la potencia metropolitana se opuso a la liberación nacional por la fuerza. Este proceso no concluyó hasta la caída del Imperio portugués a mediados de la década de 1970. Por su parte, Estados Unidos desempeñó un papel importante en la creación de una nueva serie de instituciones internacionales, incluyendo las Naciones Unidas (y organizaciones derivadas del acuerdo de Bretton Woods, como el Banco Mundial y el Fondo Monetario Internacional), el Acuerdo General sobre Aranceles Aduaneros y Comercio, la Organización Mundial del Comercio (derivada del anterior) e iniciativas regionales de cooperación, como el Tratado de Libre Comercio de América del Norte. El poder militar estadounidense y los compromisos con la Organización del Tratado del Atlántico Norte (OTAN) y una serie de tratados de alianzas bilaterales con países como Japón y Corea del Sur afianzaron un sistema de seguridad mundial que dio estabilidad a Europa y Asia oriental durante la Guerra Fría.

El otro competidor principal del liberalismo fue el comunismo. El liberalismo está ligado a la democracia mediante su protección de la autonomía individual, la cual implica igualdad jurídica y un amplio derecho a la elección política y al voto. Sin embargo, como señaló Madison, el liberalismo no provoca una igualdad de resultados, y, a partir de la Revolución francesa, tuvieron lugar fuertes tensiones entre liberales comprometidos con la protección de los derechos de propiedad y una izquierda que buscaba la redistribución de la riqueza y los ingresos mediante un Estado fuerte. En países democráticos adoptó la forma de partidos socialistas o socialdemócratas basados en un pujante movimiento obrero, como el Partido Laborista británico o el Partido Socialdemócrata de Alemania. Sin embargo, los defensores más radicales de la igualdad democrática se organizaron bajo la bandera del marxismo-leninismo y estaban dispuestos a abandonar por completo el principio de legalidad y conferir el poder a un Estado dictatorial.

La mayor amenaza al orden internacional liberal que surgió después de 1945 procedió de la antigua Unión Soviética y sus partidos comunistas aliados en Europa del Este y Asia oriental. Puede que el nacionalismo agresivo fuese derrotado en Europa, pero se convirtió en una poderosa fuente de movilización en el mundo en desarrollo y recibió el respaldo de la Unión Soviética, China, Cuba y otros Estados comunistas. Con todo, la antigua Unión Soviética se desplomó entre 1989 y 1991, y, con ella, se vino abajo la aparente legitimidad del marxismo-leninismo. China, bajo el mando de Deng Xiaoping, dio un giro hacia la economía de mercado y trató de integrarse en el floreciente orden liberal internacional, igual que muchos países excomunistas que se incorporaron a instituciones internacionales ya existentes, como la Unión Europea y la OTAN.

Así, a finales del siglo XX tuvo lugar una amplia y, en buena medida, feliz coexistencia entre el liberalismo y la democracia a lo largo y ancho del mundo desarrollado. El compromiso liberal con los derechos de propiedad y el principio de legalidad sentó las bases del formidable crecimiento económico posterior a la Segunda Guerra Mundial. El emparejamiento del liberalismo con la democracia atenuó las desigualdades creadas por la competencia mercantil, y la prosperidad general permitió a las asambleas legislativas elegidas democráticamente crear estados de bienestar redistributivos. La desigualdad se mantuvo bajo control y se hizo tolerable, porque la mayoría de la gente notó que sus condiciones materiales mejoraban. El empobrecimiento progresivo del proletariado previsto por el marxismo nunca se produjo; por el contrario, las personas de clase media vieron aumentar sus ingresos y pasaron de adversarios a partidarios del sistema. El período comprendido entre 1950 y la década de 1970 —lo que los franceses llamaron *les trente glorieuses*— fue, por tanto, el del apogeo de la democracia liberal en el mundo desarrollado.

No fue solamente un período de crecimiento económico, sino de creciente igualdad social. En la década de 1960, surgió toda una serie de movimientos sociales, empezando por la revolución a favor de los derechos civiles y la revolución feminista que presionaban a las sociedades para que se ajustasen a sus principios liberales de dignidad humana universal. Las sociedades comunistas pretendían haber resuelto los problemas relacionados con la raza y el sexo, pero en las democracias liberales occidentales la transformación social se vio impulsada por movilizaciones populares, en lugar de ser decretada de arriba abajo y, por ende, resultó más generalizada. El círculo de individuos titulares de derechos en las sociedades liberales siguió ampliándose, en un proceso que no ha concluido y que continúa hasta el día de hoy.

Si necesitáramos una prueba del impacto positivo del liberalismo como ideología, bastaría con que nos fijáramos en el éxito alcanzado por un conjunto de Estados en Asia, los cuales pasaron en cuestión de décadas de países empobrecidos en vías de desarrollo a países desarrollados. Japón, Corea del Sur, Taiwán, Hong Kong y Singapur no eran democracias durante sus épocas de crecimiento, pero adoptaron instituciones liberales fundamentales, como la protección de los derechos de propiedad y la apertura al comercio internacional, y lo hicieron aplicando fórmulas que les permitieron aprovecharse del sistema capitalista mundial. Las reformas implantadas por Deng Xiaoping en China después de 1978, como el «sistema de responsabilidad familiar»[14] o el sistema de empresas públicas orientadas al mercado bajo el control de los gobiernos locales con sede en municipios y aldeas, sustituyeron a la planificación central con derechos de propiedad limitados e incentivos a los campesinos y empresarios para asumir riesgos, porque se les permitió disfrutar de su propio trabajo. Existe una extensa bibliografía que explica cómo los países de Asia oriental no adoptaron nunca nada parecido a la forma avanzada de capitalismo de mercado que existía en Estados Unidos; de hecho, el capitalismo europeo también era muy diferente.[15] En Asia oriental y Europa, el Estado continuó siendo un actor mucho más importante a la hora de fomentar el crecimiento económico que en Estados Unidos. Sin embargo, esos «Estados desarrollistas» seguían confiando en instituciones liberales como la propiedad privada y los incentivos para activar sus notables registros de crecimiento económico.

No obstante, el liberalismo también tenía una serie de inconvenientes, algunos de los cuales se vieron precipitados por circunstancias externas, y otros ya eran intrínsecos a la doctrina. La mayoría de las doctrinas o ideologías parten de una idea central que es verdadera o incluso reveladora, pero se equivocan cuando

14. Sistema por el cual los hogares agrícolas chinos establecían contratos con el Estado, según los cuales se comprometían a vender a entes estatales una parte de su producción (en cantidad y precio pactados) y destinar el resto a los mercados libres, siempre con precios mucho mayores a los pagados por el Estado. Esto, además, comportaba que las familias campesinas pudieran tomar decisiones sobre su actividad (como el tipo de cultivo, la adquisición de insumos, etcétera). *(N. del e.)*

15. Para un resumen, véase Haggard, Stephan, *Developmental States*, Cambridge University Press, Cambridge (Massachusetts) y Nueva York, 2018; y Berger, Suzanne y Ronald Dore, *National Diversity and Global Capitalism*, Cornell University Press, Ithaca (Nueva York), 1996.

dicha idea se lleva al extremo; es decir, cuando, por así decirlo, la doctrina se vuelve dogmática.

Los principios fundamentales del liberalismo han sido llevados al extremo tanto por partidarios de la derecha como de la izquierda, a tal punto que los propios principios han quedado desvirtuados. Una de las ideas centrales del liberalismo es su valorización y protección de la autonomía individual. Ahora bien, ese valor básico puede llevarse demasiado lejos. Para la derecha, la autonomía significaba sobre todo el derecho a comprar y vender libremente, sin interferencias del Estado. Esta idea, llevada al extremo, convirtió el liberalismo económico en «neoliberalismo» a finales del siglo XX, provocando desigualdades monstruosas, lo cual constituye el tema de los dos capítulos siguientes. Para la izquierda, la autonomía significaba autonomía personal en relación con las decisiones y valores vitales y la oposición a las normas sociales impuestas por la sociedad circundante. En este sentido, el liberalismo empezó a erosionar su propia premisa de tolerancia a medida que evolucionaba para convertirse en la política de identidad moderna. Estas versiones extremas del liberalismo generaron una fuerte reacción en contra de éste, la cual constituye el origen de los movimientos populistas de derecha y progresistas de izquierda que amenazan hoy en día al liberalismo.

2

Del liberalismo al neoliberalismo

Uno de los ámbitos determinantes en los que las ideas liberales fueron llevadas al extremo fue el del pensamiento económico, donde el liberalismo evolucionó hasta convertirse en lo que se ha denominado «neoliberalismo».

En la actualidad, el término *neoliberalismo* se usa a menudo como un sinónimo peyorativo de *capitalismo*, pero sería más adecuado emplearlo en un sentido más estricto para describir una escuela de pensamiento económico, asociada frecuentemente con la Universidad de Chicago o la escuela austríaca y economistas como Milton Friedman, Gary Becker, George Stigler, Ludwig von Mises y Friedrich Hayek, los cuales menospreciaban claramente el papel del Estado en la economía y ponían el acento en los mercados como incentivadores del crecimiento y distribuidores eficaces de recursos. Esos economistas, muchos de quienes fueron galardonados con el Premio Nobel, ofrecían una justificación intelectual de las políticas en favor del mercado y en contra del Estado llevadas a cabo por Ronald Reagan y Margaret Thatcher en la década de 1980. Esas políticas fueron continuadas por políticos de centroizquierda como Bill Clinton y Tony Blair, que promovieron la desregulación y privatización de sus economías de maneras que sentaron las bases para el auge del populismo a finales de la década de 2010. Este consenso a favor del mercado fue asumido por toda una generación de jóvenes, muchos de los cuales se sintieron luego desilusionados por la gran crisis financiera de 2008, la crisis del euro de 2010 y las ulteriores dificultades económicas.[16]

A nivel más popular, el neoliberalismo se asoció a lo que los estadounidenses denominaron «libertarismo», cuyo único tema subyacente es la hostilidad frente a un Estado exacerbado y la creencia en el carácter sagrado de la libertad individual. Los libertarios se unieron a los economistas de la escuela de Chicago en su hostilidad hacia la regulación de la economía por parte del Estado y en su creencia de que los gobiernos no hacían más que interponerse en el camino de los emprendedores e innovadores dinámicos. Sin embargo, su creencia en la primacía de la libertad individual los llevó a oponerse también a la intervención del Estado en materia social. Eran extremadamente críticos con los estados de bienestar amplificados, en apariencia en constante expansión, creados durante décadas en la mayoría de las democracias liberales, y desaprobaban los intentos por parte del Estado de regular conductas personales como el consumo de drogas y la sexualidad. Algunos libertarios consideraban que dependía de los individuos cuidar de sí mismos. Los más reflexivos sostenían que las necesidades sociales podían cubrirse mejor mediante la acción particular que a través de grandes administraciones estatales, ya fuese por medio del propio sector privado o la sociedad civil (es decir, organizaciones sin ánimo de lucro, Iglesias, voluntariado, etcétera).

La revolución neoliberal de Reagan y Thatcher se basaba en problemas reales, y los resolvía. La política económica en el mundo desarrollado ha ido de un extremo al otro durante el último siglo y medio. El siglo XIX constituyó el apogeo del capitalismo de mercado desregularizado, en el cual el Estado desempeñaba un papel muy pequeño a la hora de proteger a los individuos ante formas de capitalismo feroz o de amortiguar el impacto de las

16. Para una visión general de este período, véase Appelbaum, Binyamin, *The Economists' Hour: False Prophets, Free Markets, and the Fracture of Society*, Little, Brown and Company, Boston (Massachusetts), 2019.

recesiones, depresiones y crisis bancarias que sobrevenían con tanta regularidad.

Todo esto cambió a principios del siglo XX. A partir de la década de 1880, los reformadores de la llamada «era progresista» sentaron las bases de un Estado regulador, empezando por Estados Unidos con la Comisión Interestatal de Comercio para regular las líneas ferroviarias que estaban proliferando por todas partes. La Ley Sherman Antimonopolio, la Ley Clayton Antimonopolio y la Ley de la Comisión Federal de Comercio confirieron al gobierno poderes para limitar el desarrollo de monopolios, y la grave crisis bancaria de 1908 provocó la creación del sistema de la Reserva Federal de Estados Unidos. La Gran Depresión trajo consigo una gran proliferación de agencias regulatorias, como la Comisión de Bolsa y Valores (Securities and Exchange Commission, SEC), así como la Administración de la Seguridad Social para organizar las pensiones y las prestaciones. La crisis del capitalismo mundial de la década de 1930 concedió a los Estados mucha mayor legitimidad a expensas de los mercados privados, lo que condujo al auge de Estados reguladores basados en estados de bienestar expansivos en Europa y América del Norte.

En la década de 1970, el péndulo osciló hacia el control excesivo del Estado. Muchos sectores económicos de Estados Unidos y Europa estaban excesivamente regulados, y los generosos compromisos con los sistemas de asistencia social hicieron que muchos países ricos tuvieran que enfrentarse a deudas exorbitantes. Tras experimentar cerca de tres décadas de crecimiento económico prácticamente ininterrumpido, la economía mundial sufrió un brusco parón después de la guerra de Yom Kipur en Oriente Próximo en 1973 y la multiplicación por cuatro del precio del petróleo por parte de la Organización de Países Exportadores de Petróleo (OPEP). El crecimiento económico fue renqueando hasta detenerse, mientras la economía mundial trataba de adaptarse a la subida de precio de los recursos. El impacto fue más devastador en el mundo en vías de desarrollo, donde los bancos comerciales privados más importantes reciclaron los excedentes de países productores de petróleo en deuda que los países latinoamericanos y subsaharianos usaron para mantener su nivel de vida. Resultó insostenible; los países incurrieron en impago de sus deudas soberanas y experimentaron un desplome del empleo y una hiperinflación. El remedio a esos problemas aplicado por las instituciones financieras internacionales fue el prescrito por la escuela de Chicago: austeridad fiscal, tipos de cambio flexibles, desregulación, privatización y un estricto control de la masa monetaria.

En Estados Unidos y otros países desarrollados, la desregulación y la privatización tuvieron efectos beneficiosos. Los precios de los billetes de avión y las tarifas de transporte empezaron a bajar mientras los Estados retiraban los controles de precios generalizados que habían impuesto. El momento más heroico de Margaret Thatcher fue su enfrentamiento con Arthur Scargill y el sindicato de mineros de carbón: en aquel punto de su desarrollo económico, la minería de carbón no era un negocio para el Reino Unido, ni la propiedad estatal de empresas como British Steel o British Telecom, que serían gestionadas de manera más eficiente por operadores privados. La recuperación económica del Reino Unido tras una década deprimente, la de 1970, se debió en gran medida a las políticas neoliberales.

No obstante, el programa neoliberal se llevó a un extremo contraproducente. Una percepción válida de la eficiencia superior de los mercados se convirtió en una especie de religión que se oponía por principio a la intervención del Estado. Se impulsó la privatización, por ejemplo, incluso en casos de monopolios naturales, como los recursos públicos clave, lo cual dio lugar a pantomimas como la privatización de la mexicana TelMex, donde un monopolio público de telecomunicaciones se transformó en privado, lo que facilitó el ascenso de uno de los hombres más ricos del mundo, Carlos Slim.

Algunas de las peores consecuencias se notaron en la antigua Unión Soviética, que se desplomó justo en el momento en que la ideología neoliberal estaba en su apogeo. La planificación central socialista había sido justamente desacreditada por los malos resultados de las economías comunistas en todo el mundo. Sin embargo, entre muchos economistas existía la creencia de que los mercados privados se formarían espontáneamente en cuanto se desmantelara la planificación central. No entendían que los mercados funcionan sólo cuando están regulados de forma estricta por Estados con sistemas legales que funcionan y tienen capacidad de imponer normas relativas a la transparencia, los contratos, la propiedad, etcétera. Como consecuencia de ello, grandes sectores de la economía soviética fueron engullidos por oligarcas cuya influencia maligna continúa hasta el día de hoy en Rusia, Ucrania y otros países excomunistas.

A pesar de promover dos décadas de rápido crecimiento económico, el neoliberalismo logró desestabilizar la economía mundial y socavar su propio éxito. La desregulación fue útil en muchos sectores de la economía real, pero resultó desastrosa cuando se aplicó en el sector financiero en las décadas de 1980 y 1990. El antiguo presidente de la Reserva Federal Alan Greenspan y otros economistas de la época creyeron que el sector financiero sería capaz de autorregularse. Sin embargo, las instituciones financieras se comportan de manera muy diferente a como lo hacen las empresas en la economía real. A diferencia de una compañía fabricante, un gran banco de inversiones es sistemáticamente peligroso y puede comportar enormes costes para la economía en su conjunto si corre riesgos excesivos. El mundo fue testigo de ello con el desplome de Lehman Brothers en septiembre de 2008, cuando miles de entidades de todo el mundo se vieron incapaces de cumplir con sus propias obligaciones a causa de su vinculación con Lehman. El sistema de pagos globales se paralizó, y sólo pudo ser rescatado mediante enormes inyecciones de liquidez de la Reserva Federal de Estados Unidos y otros bancos centrales. Si alguna vez hubo un argumento a favor de la necesidad de una gran institución estatal centralizada, fue en esa ocasión. Los libertarios se olvidaron de que la ausencia de un banco central y la dependencia del patrón oro anterior a la Ley de la Reserva Federal de 1919 habían propiciado periódicamente extraordinarias crisis financieras, como la que convulsionó a Estados Unidos en 1908.

De hecho, los neoliberales estadounidenses se vieron propulsados, por así decirlo, por su propio cohete. A partir de la década de 1980, el Departamento del Tesoro de Estados Unidos e instituciones como el Banco Mundial y el Fondo Monetario Internacional (FMI) habían estado advirtiendo a los países de todo el mundo de que abriesen sus cuentas de capital y permitiesen fluir libremente sus fondos de inversión. Trataban de eliminar los controles de capital instituidos a raíz de las crisis bancarias de la década de 1930. Desde el final de la Segunda Guerra Mundial hasta la década de 1970, el sistema financiero mundial se había mantenido muy estable. Posteriormente, cuando se fomentó que la liquidez circulase sin obstáculos a través de las fronteras internacionales bajo la influencia de las ideas neoliberales, se produjeron crisis financieras con una regularidad alarmante. Esto empezó con la crisis de la libra y la crisis bancaria de Suecia de principios de la década de 1990, la crisis del peso mexicano de 1994, la crisis financiera asiática de 1997 y las insolvencias de Rusia y Argentina en 1998 y 2001, respectivamente. El proceso culminó en 2008 con la crisis de las hipotecas de alto riesgo (*subprime*) en Estados Unidos, en la cual el capital mundial se había precipitado en un mercado hipotecario estadounidense mal regulado y arrasó la economía real cuando salió a raudales.

El apoyo al libre comercio por parte del liberalismo tuvo consecuencias problemáticas. La doctrina básica es correcta: los países que rebajan las barreras comerciales entre sí verán expandirse los mercados y la eficiencia, lo cual traerá consigo mayores ingresos agregados para todas las partes involucradas. El auge de Asia oriental a finales del siglo XX y la drástica disminución de la pobreza mundial durante ese período no habrían sido posibles sin la expansión del comercio. Sin embargo, esos mismos teóricos del comercio también habrían explicado, *sotto voce*, que no todos los individuos de todos los países se beneficiarán del libre comercio. En concreto, es probable que los trabajadores de baja cualificación de países ricos pierdan empleos y oportunidades respecto a trabajadores con cualificación parecida de países pobres, ya que las compañías multinacionales externalizarán su producción. La respuesta típica a este problema en aquel momento era que los trabajadores que perdieran su empleo serían compensados mediante formación laboral y otras formas de asistencia social. La administración Clinton frenó el rechazo de los sindicatos al Tratado de Libre Comercio de América del Norte prometiendo ese tipo de programas. Con todo, pocos defensores neoliberales del libre comercio dedicaron suficiente tiempo, esfuerzo y recursos a esos programas, cosa que sí hicieron en el fomento del comercio. Muchos neoliberales estaban a favor de la inmigración, otra vez con el argumento de que permitir la movilidad de la mano de obra a donde hubiera mayor demanda daría como resultado una mayor eficiencia. De nuevo, tenían razón al pensar que la movilidad laboral mejoraría el bienestar agregado, pero no prestaron tanta atención a las consecuencias distributivas y a la reacción social que provocaría.

En todos esos casos había un problema político: pocos votantes piensan en términos de riqueza agregada. No se dicen: «Bueno, puede que haya perdido el empleo, pero al menos hay alguien en China o Vietnam o un nuevo inmigrante en mi país que está, proporcionalmente, mucho mejor». No les consuela que los ingresos de los propietarios de las empresas que les acaban de despedir vean cómo los precios de sus acciones y sus bonificaciones aumentan, ni tampoco poder utilizar su seguro de desempleo para comprar en el supermercado local bienes de consumo más baratos fabricados en China.

Los neoliberales no sólo criticaban la intervención económica por parte del Estado; también criticaban las políticas sociales diseñadas para mitigar los efectos y las desigualdades provocadas por las economías de mercado. Nuevamente, partieron de una premisa inicial correcta: los programas gubernamentales que tratan de ayudar a las personas en tiempos difíciles comportan a menudo riesgos morales. Es decir, favorecen el comportamiento cuyos efectos pretendían mitigar. Si el Estado proporciona un seguro de desempleo generoso, es posible que los trabajadores pudieran verse alentados a rechazar trabajos que, de no ser así, aceptarían. El programa de Ayuda a las Familias con Hijos Dependientes (AFDC, por sus siglas en inglés) de la época de la Depresión de Estados Unidos proporcionaba prestaciones a las mujeres que criaban solas a sus hijos. En un principio, estaba pensado para ayudar a mujeres cuyos maridos estuvieran incapacitados o hubieran fallecido, pero en la década de 1980 se consideraba como un incentivo para que las mujeres pobres no se casaran con su pareja o para que tuvieran hijos fuera del matrimonio a fin de recibir la prestación. Había otra serie de incentivos sesgados: la administración de programas sociales había provocado la creación de enormes burocracias en muchos países, y dichas burocracias desarrollaron un interés en protegerse, con independencia de sus resultados. En muchos países, los sindicatos del sector público se hicieron cada vez más poderosos, mientras sus homólogos del sector privado perdían fuerza.

Esto dio origen a un extenso período en el que los reformadores neoliberales trataron de recortar los sectores estatales eliminando o reduciendo los programas sociales, despidiendo a funcionarios o esforzándose por encomendar dichos programas a contratistas del sector privado o a organizaciones de la sociedad civil. En Estados Unidos, ese proyecto culminó en la Ley de Conciliación de Responsabilidad Personal y Oportunidades Laborales de 1996, la cual acabó por completo con el AFDC y cambió su financiación pasando a realizar subvenciones en bloque a los estados. Su propia denominación apunta a las premisas neoliberales subyacentes en la legislación. Instituciones internacionales como el Banco Mundial y el FMI alentaron recortes parecidos en el mundo en vías de desarrollo a través de lo que se llamó el Consenso de Washington, y, en algunos casos, aplicaron medidas de austeridad draconianas en los países miembros.

La idea de «responsabilidad personal» es un concepto liberal construido en torno a una noción correcta, pero que ha sido llevada al extremo por los neoliberales. El riesgo moral es una realidad: si el Estado paga a las personas por no trabajar, trabajarán menos; si asegura a las personas frente a demasiados riesgos (como construir viviendas en terrenos inundables o con un elevado riesgo de incendios) asumirán riesgos imprudentes. Bajo muchas de las dudas liberales acerca de la excesiva intervención por parte del Estado subyacía la duda moral de que la dependencia excesiva del Estado debilitaría la capacidad de las personas para cuidar de sí mismas. Sin embargo, los neoliberales y algunos liberales clásicos anticuados han llevado periódicamente esta idea a extremos desastrosos. Uno de los casos históricos más vergonzosos fue la decisión británica de continuar con las exportaciones de cereal durante la hambruna irlandesa de finales de la década de 1840, en lugar de desviar suministros para alimentar a la población de Irlanda. Como consecuencia de ello, un tercio de la población de Irlanda murió. La reacción de Charles Trevelyan, secretario adjunto del Tesoro Británico fue un ejemplo de una fe desmesurada en la responsabilidad personal: escribió que Dios había ordenado la hambruna «para darles una lección a los irlandeses, que la calamidad no tenía que mitigarse demasiado... El auténtico mal con el que tenemos que lidiar no es el mal físico de la hambruna, sino el mal moral del carácter egoísta, perverso y turbulento del pueblo».[17]

El liberalismo bien entendido es compatible con una amplia gama de protecciones sociales proporcionadas por el Estado. Por supuesto, los individuos deberían asumir personalmente la responsabilidad de sus vidas y de su felicidad, pero hay muchas circunstancias en las que se enfrentan a amenazas fuera de su control. Cuando una persona pierde su trabajo debido a una pandemia terrible, la ayuda temporal por parte del gobierno no fomenta la dependencia; del mismo modo que el acceso universal a la asistencia sanitaria no va a hacer que la gente sea vaga y poco previsora. Muchas personas no consiguen ahorrar de manera adecuada para su jubilación o no prevén acontecimientos imprevistos que les pueden impedir trabajar. Obligar a la gente a reservar unos ahorros a lo largo de su vida profesional no es una vulneración de sus libertades fundamentales, sino que se trata de algo que beneficia a su libertad a largo plazo.

Un principio básico del liberalismo debería ser que se espera de los individuos que sean responsables de su felicidad y de su vida, pero que el Estado tiene plena justificación para entrar en escena y ayudarlos cuando se ven sometidos a circunstancias adversas fuera de su control. El grado de ayuda depende de los recursos y otros compromisos del Estado. Los países escandinavos, con sus amplios estados de bienestar, siguen siendo sociedades

17. Citado en Ferguson, Niall, *Doom: the Politics of Catastrophe*, Penguin Press, Nueva York, 2021, p. 181.

liberales, lo mismo que Estados Unidos o Japón, con sus sectores públicos relativamente más pequeños.

Gran parte de la hostilidad liberal al Estado es simplemente irracional. Los Estados son necesarios para proporcionar bienes públicos que los mercados no proporcionarían por sí mismos, de la previsión meteorológica a la asistencia sanitaria pública, pasando por el sistema judicial, la seguridad de alimentos y medicamentos y la defensa nacional. El tamaño del Estado es mucho menos importante que su calidad. En Escandinavia, las personas pagan a menudo más de la mitad de sus ingresos anuales en impuestos, pero a cambio reciben educación de calidad hasta la universidad, asistencia sanitaria, pensiones y otras prestaciones que los estadounidenses tienen que pagar con dinero de su bolsillo. En cambio, muchos países pobres están atrapados en un ciclo en el cual un Estado de mala calidad no presta servicios, debilitando la capacidad del gobierno para cobrar impuestos y dotarse de los recursos necesarios. Los gobiernos pueden acabar hinchados, lentos y burocráticos y, al mismo tiempo, manifiestamente débiles e incapaces de prestar los servicios necesarios. Los Estados liberales requieren gobiernos lo bastante fuertes para hacer cumplir las normas y proporcionar el marco institucional básico en el que los individuos puedan prosperar.

El resultado de una generación de políticas neoliberales fue el mundo surgido en la década de 2010, en el cual los ingresos agregados fueron mayores que nunca, pero la desigualdad entre países había aumentado también enormemente.[18] Muchos países de todo el mundo han sido testigos del surgimiento de una pequeña clase de oligarcas, multimillonarios capaces de transformar sus recursos económicos en poder político mediante grupos de presión y la compra de medios de comunicación. La globalización les permitió trasladar su dinero fácilmente a jurisdicciones con baja imposición fiscal, privando a los Estados de ingresos y haciendo muy difícil la regulación. La población de origen extranje-

18. Véase Milanovic, Branko, *Desigualdad mundial: un nuevo enfoque para la era de la globalización*, traducción de Mariana Hernández, Fondo de Cultura Económica, Ciudad de México, 2018.

ro empezó a aumentar en muchos países occidentales, instigada por crisis como la guerra civil de Siria, la cual envió a más de un millón de refugiados a Europa en 2014. Todo esto allanó el camino a la reacción populista que se hizo evidente en 2016 con el voto favorable al *brexit* del Reino Unido y la elección de Donald Trump en Estados Unidos.

3

El individuo egoísta

Los problemas con las políticas neoliberales no se limitaron a sus efectos económicos y políticos inmediatos; había un problema subyacente más profundo en la propia teoría económica. Esto no la invalida, pero debería hacernos recordar que, como todas las teorías, simplifica en exceso nuestros conocimientos sobre el comportamiento humano. Esto significa que debemos tener cuidado con las conclusiones prácticas que extraemos de ésta, ya que la realidad será siempre más compleja de lo que sugiere la teoría.

Veamos, por ejemplo, el tema de los derechos de propiedad, que ha sido un elemento central de la doctrina liberal desde el principio. El reciente interés en los derechos de propiedad por parte de los economistas renació a principios de la década de 1980 como resultado del trabajo de autores como el historiador económico Douglass North, el cual transformó la teoría del desarrollo incorporando el factor de las instituciones —es decir, las normas persistentes que coordinan la actividad social— como una variable explicativa clave del crecimiento económico. (Aunque cueste creerlo, antes de North la mayoría de las teorías económicas ortodoxas sobre el crecimiento no tenían en cuenta la cultura, la política ni ningún otro factor no económico.) Cuando North hablaba de instituciones, pensaba principalmente en derechos de propiedad y ejecución de contratos, y toda una generación de economistas del desarrollo consideraban dichas instituciones como el Santo Grial del crecimiento.[19]

Había, desde luego, un importante núcleo de verdad en el enfoque en los derechos de propiedad: países como la antigua Unión Soviética, Cuba o Venezuela, que se habían embarcado en nacionalizaciones indiscriminadas de la propiedad privada, habían tenido enormes problemas con la innovación y el crecimiento. Nadie invertirá importantes cantidades de dinero en un negocio si piensa que el gobierno se lo arrebatará a su antojo. Sin embargo, un enfoque exclusivo en los derechos de propiedad no es una fórmula mágica para el desarrollo ni un camino a una sociedad justa. Como ha expuesto Deirdre McCloskey, North nunca demostró empíricamente que garantizar los derechos de propiedad fuera clave para el extraordinario crecimiento económico de Europa después del siglo XVII, en contraposición a otros factores como la adopción de los valores sociales burgueses que tuvo lugar al mismo tiempo o el desarrollo del método científico.[20]

Además, una defensa fuerte de cualquier conjunto existente de derechos de propiedad sólo se justifica si la propia distribución original de la propiedad era justa. Muchos economistas parten implícitamente de la premisa de John Locke de que la propiedad privada surge cuando los seres humanos se asientan en una deshabitada *terra nullius* [tierra de nadie] y mezclan su trabajo con las «cosas sin valor de la naturaleza» para crear una propiedad útil. Pero ¿y si esa propiedad fuese adquirida en un principio mediante violencia o robo? Las sociedades agrarias estaban basadas en fincas gigantescas en manos de aristócratas cuyos antepasados eran guerreros que simplemente habían conquistado esos territorios. Su tierra era trabajada por campesinos

19. North, Douglass C., *Instituciones, cambio institucional y desempeño económico*, traducción de Agustín Bárcena, Fondo de Cultura Económica, Ciudad de México, 2012.

20. Véase McCloskey, Deirdre N., *Bourgeois Dignity: Why Economics Can't Explain the Modern World*, University of Chicago Press, Chicago (Illinois), 2010, capítulos 33-36; véase también McCloskey, *Beyond Positivism, Behaviorism, and Neo-institutionalism in Economics*, University of Chicago Press, Chicago (Illinois), 2021, capítulo 8.

que, después de una mala cosecha o una enfermedad, contraían una deuda y, en caso de no poder pagarla, se les confiscaban sus bienes según lo establecido en las normas promulgadas por el señor local. Esta forma de propiedad de la tierra ha sido un obstáculo enorme tanto para el crecimiento económico como para la democracia en países como Pakistán o Filipinas. En cambio, Japón, Corea del Sur y Taiwán, bajo la tutela de Estados Unidos, emprendieron una reforma agraria masiva a finales de la década de 1940, que dividió las grandes fincas. Esta redistribución de la propiedad ha sido considerada ampliamente como la base de su posterior éxito económico, por no hablar de su capacidad de convertirse en democracias liberales consolidadas.

La historia lockeana sobre los orígenes de la propiedad privada también es cuestionable en Estados Unidos y en otros lugares que, en su día, fueron denominados tierras de «nuevos asentamientos», como Canadá, Australia, Nueva Zelanda, Argentina o Chile. Desde luego, en esas regiones se asentaron únicamente europeos; estaban habitadas por una amplia variedad de pueblo doce mil años antes. Aquellas personas fueron asesinadas, esclavizadas, despojadas de sus tierras y engañadas, o bien murieron como consecuencia de enfermedades importadas desde Europa. En su mayor parte, esos grupos indígenas no tenían nada parecido a los derechos de propiedad europeos, con su maquinaria de revisiones catastrales, registros de la propiedad y sistemas judiciales. Por el contrario, como pueblos ganaderos o cazadores-recolectores, disfrutaban de lo que hoy en día se describiría como derecho al forraje, derecho de usufructo o derecho de paso o acceso. No cabe duda de que los derechos de propiedad de estilo europeo hicieron que la tierra fuera mucho más productiva, y es posible que este aumento de la productividad mejorase el nivel de vida de todo el mundo, incluyendo el de aquellos desprovistos de sus tierras. Pero el fin no justifica necesariamente los medios. Los pueblos indígenas perdieron mucho más que sus tierras; perdieron su forma de vida a medida que sus tierras se convertían en propiedad privada moderna.

Otra rama de la teoría económica neoliberal intrínsecamente cuestionable y que ha acarreado consecuencias políticas muy problemáticas tuvo que ver con la entronización del bienestar de los consumidores como la medida definitiva del bienestar económico, así como las implicaciones de esta decisión en ámbitos políticos como el antimonopolio y el comercio. Este cambio estuvo estrechamente vinculado con la escuela de Chicago y con figuras como Aaron Director, George Stigler y, sobre todo, el experto jurista Robert Bork.

Desde la promulgación de la Ley Sherman Antimonopolio en 1890, a los responsables políticos estadounidenses les preocupaba el impacto de corporaciones gigantescas (o «monopolios») en la democracia de Estados Unidos A lo largo del siglo, el Departamento de Justicia y la Comisión Federal de Comercio de Estados Unidos interpusieron demandas antimonopolio contra grandes compañías que usaban su poder en el mercado para eliminar la competencia. Había, asimismo, una escuela asociada con el juez Louis Brandeis, el cual creía que la Ley Sherman tenía también objetivos políticos, como la protección de los pequeños productores.

El jurista y más tarde fiscal general Robert Bork sostenía que la ley antimonopolio debería tener un único objetivo, que era maximizar el bienestar del consumidor, entendido tanto en términos de precio como de calidad.[21] Bork sostenía que el objetivo de la Ley Sherman no había sido nunca servir a intereses partidistas y que la ley antimonopolio sería incoherente si no tenía un único objetivo medible, como lo era la maximización del bienestar del consumidor. Argumentaba que, a menudo, las grandes corporaciones eran grandes precisamente porque eran más eficientes que las pequeñas y que el gobierno no debería interferir en su crecimiento. Él y sus colegas de la escuela de Chicago lograron persuadir a dos generaciones de economistas y juristas para que adoptaran el estándar del bienestar de los consumidores como la única medida de los resultados económicos en casos antimonopolio, lo cual dio lugar a una actitud mucho más relajada

21. Bork, Robert H., y Philip Verveer, *The Antitrust Paradox: A Policy at War with Itself*, Free Press, Nueva York, 1993; y «Legislative Intent and the Policy of the Sherman Act», *Journal of Law and Economics*, 9 (1966), pp. 7-48.

por parte del gobierno hacia las grandes corporaciones y las megafusiones.

Bork tenía razón al decir que el estándar del bienestar del consumidor proporciona al sistema legal una manera útil de resolver determinada clase de disputas económicas. Si Walmart o Amazon, por ejemplo, se introducen en un mercado y ponen en peligro la forma de vida de multitud de comercios familiares, ¿cómo juzgamos la exigencia de protección frente a la competencia de estos últimos? El estándar de bienestar de los consumidores determinaría que tendrían que dejar paso a los comercios gigantes porque éstos venden los mismos artículos a precios mucho más bajos. La economía moderna determinaría que los comercios familiares tuvieran que cerrar sus negocios y reinvertir su tiempo y su capital en otra actividad más productiva. Los brandeisianos no tenían una regla clara para distribuir el excedente de los consumidores entre éstos y los comerciantes atrapados en una lucha de suma cero.

Y a pesar de todo, muchas sociedades pueden proteger y protegen a pequeños productores a expensas de la eficiencia económica, porque creen que hay otros bienes sociales aparte del bienestar de los consumidores. Esto es lo que han hecho Francia y Japón, por ejemplo, que trataron de bloquear la entrada de enormes corporaciones estadounidenses en sus mercados. ¿Estaría Francia mejor si sus miles de cafeterías hubieran sido expulsadas del negocio por Starbucks, aun cuando ésta ofreciera un café más barato o mejor? ¿Mejoraría la calidad de vida de Japón si sus pequeños bares de sushi y tempura fueran sustituidos por grandes cadenas de restaurantes de estilo norteamericano? ¿Está mejor Estados Unidos viendo cómo sus comercios del centro son expulsados del negocio, primero por grandes almacenes como Walmart, y después por comercios digitales como Amazon? Puede que todo esto fuera inevitable desde un punto de vista tecnológico, pero podríamos pensar que el equilibrio entre el bienestar de los consumidores y bienes intangibles como los barrios y las formas de vida debería estar abierto a la elección democrática. Es posible que ninguna teoría económica determine cómo llevar a cabo esa elección, pero puede decidirse mediante confrontación política democrática. No hay razón por la cual la eficiencia económica tenga que ser más importante que el resto de los valores sociales.

El bienestar de los consumidores también es problemático como estándar de bienestar económico, ya que no capta aspectos intangibles del bienestar. Las grandes plataformas de internet actuales pueden ofrecer servicios gratuitos a los consumidores, pero acceden a datos privados de los usuarios de maneras que éstos no perciben y que tal vez no aprobarían. Bajo esta cuestión política subyace un tema filosófico más profundo, que es si los seres humanos son simplemente animales consumidores cuyo bienestar se mide en función de cuánto consumen, o bien animales productores cuya felicidad depende de su capacidad de modelar la naturaleza y ejercitar sus facultades creativas. El neoliberalismo contemporáneo ha optado claramente por la primera opción, pero otras tradiciones sostienen que los humanos son animales consumidores y productores y que la felicidad humana se encuentra en algún punto intermedio entre ambos aspectos. El filósofo Hegel afirmaba que la autonomía humana se basaba en el trabajo y en la capacidad de transformar la naturaleza; que eso era lo que había otorgado dignidad al esclavo y lo había hecho igual al amo. Karl Marx heredó esta idea de Hegel, y dijo que los seres humanos eran animales consumidores y productores.

Las sociedades comunistas tendían a conceder más valor a la producción que al consumo, con resultados negativos. Tenían «héroes del trabajo socialista», pero no había comida en las estanterías de sus tiendas. El auge del neoliberalismo ha hecho que el péndulo oscile al otro extremo. A los trabajadores de Estados Unidos que habían perdido sus empleos a causa de la mano de obra extranjera más barata se les dijo que, a pesar de todo, podían comprar productos más baratos importados de China. En la actualidad, muy poca gente querría volver al énfasis comunista de la producción por encima del consumo. Sin embargo, ¿estaría la gente dispuesta a sacrificar un poco de bienestar de los consumidores con tal de mantener la dignidad del trabajo y de los medios de vida en su país? Se trata de una elección que no se ha planteado a los votantes bajo la hegemonía de las ideas neoliberales.[22]

Podría tratarse de un sacrificio menor de lo que creemos. El economista Thomas Philippon ha sostenido que los precios de consumo de Estados Unidos son ahora mucho más elevados que los de Europa en comparación con los de dos décadas antes, debido precisamente a que Estados Unidos no ha logrado aplicar sus leyes antimonopolio y ha permitido que las grandes corporaciones ahoguen a la competencia.[23] La concentración industrial tiene otros efectos negativos: las grandes corporaciones tienen mucho dinero y pueden financiar a grupos de presión para conservar sus ventajas. Esto se convierte en un problema grave para la democracia cuando el negocio de esas corporaciones son las noticias y la información que da forma al discurso político, y ésta es una de las razones por las cuales las grandes plataformas de internet —Twitter, Facebook y Google— han sido objeto de especial escrutinio.[24]

Hubo otra corriente de pensamiento que arraigó a finales del siglo XX y que proporcionó un modelo de acción colectiva alternativo al de la economía neoliberal dominante, que era la teoría del orden espontáneo promovida por la escuela austríaca de Ludwig von Mises y Friedrich Hayek. Hayek, en concreto, observó que el orden que vemos en el mundo natural no fue el resultado de un diseñador divino que enseñó a cantar a los pájaros o a hacer miel a las abejas, sino que surgió de la interacción evolutiva aleatoria de átomos y moléculas que acabaron organizándose en una cadena de seres cada vez más complejos, desde células hasta los organismos multicelulares, las plantas y los animales que pueblan nuestro mundo. Sostenía que el orden social humano se originó de manera parecida: los agentes humanos indivi-

22. Véase Cass, Oren, *The Once and Future Worker: A Vision for the Renewal of Work in America*, Encounter Books, Nueva York, 2018.

23. Philippon, Thomas, *The Great Reversal: How America Gave Up on Free Markets*, Belknap/Harvard University Press, Cambridge (Massachusetts), 2019.

24. Fukuyama, Francis, «Making the Internet Safe for Democracy», *Journal of Democracy*, 32 (2021), pp. 37-44.

duales interactuaron; los grupos sociales más exitosos se replicaron, no genética sino culturalmente, mientras que los que daban malos resultados desaparecieron. El gran ejemplo de esto fue la evolución de los mercados, donde los compradores y vendedores individuales interactuaron de manera no planificada para producir precios que indicaban una escasez relativa, asignando así los bienes de modo más eficiente que los planificadores centrales. Hayek sostenía también que el *common law* inglés era superior al derecho civil del continente en el sentido de que había evolucionado a partir de las decisiones de innumerables jueces descentralizados según el principio de *stare decisis* (precedente judicial), en lugar de ser dictado de forma centralizada por expertos legales.[25]

Hayek tenía razón en lo tocante a la eficiencia superior de los mercados; básicamente, venció en su famoso debate de la década de 1940 con el otro gran economista de la época, Joseph Schumpeter, sobre si el mejor sistema económico sería el regulado por los mercados o la planificación central. Sus ideas fueron asumidas por otros. Cuando internet despegó en la década de 1990, muchos tecnolibertarios se sintieron seducidos por la idea de un orden espontáneo y vieron el surgimiento del mundo digital como uno de sus maravillosos resultados. La teoría de la complejidad, elaborada en lugares como el Instituto Santa Fe, trataba de formalizar la idea de autoorganización y aportaba reflexiones sobre cómo el orden se originaba a menudo de manera descentralizada, desde las bandadas de pájaros a las comunidades indígenas acordando compartir recursos sin el beneficio de los gobiernos.[26]

Pero la teoría puede llevarse al extremo. Tanto Hayek como los tecnolibertarios eran hostiles al Estado, ya que creían que con frecuencia se interponía en el camino de la autoorganización hu-

25. Hayek, Friedrich A., *Derecho, legislación y libertad*, traducción de Luis Reig, Unión Editorial, Madrid, 2018.

26. Véase Ostrom, Elinor, *El gobierno de los bienes comunes: la evolución de las instituciones de acción colectiva*, traducción de Corina de Iturbide y Adriana Sandoval, Fondo de Cultura Económica, Ciudad de México, 2011.

mana. Sin embargo, esta hostilidad estaba más impulsada por la ideología que por la observación empírica. Como admitirán la mayoría de los economistas, hay muchos tipos de bienes públicos que los mercados no proporcionarán jamás; incluso aunque una planificación central rígida resulte autodestructiva, los Estados han desempeñado a menudo funciones de asistencia y coordinación que, por ejemplo, promovieron el crecimiento económico en países como Japón o Corea del Norte durante sus épocas de apogeo. La propia internet no fue el resultado de un orden espontáneo; sus tecnologías subyacentes fueron creadas como resultado de la inversión del gobierno de Estados Unidos, a menudo a través del Departamento de Defensa, en cosas como semiconductores y circuitos integrados, y de la imposición de protocolos de red como el TCP/IP. Una vez privatizada por el gobierno de Estados Unidos, internet no siguió siendo una red descentralizada, sino que rápidamente fue dominada por dos o tres compañías gigantescas cuyo poder sólo podía ser cuestionado por los gobiernos, si es que podía ser cuestionado por alguien.

De modo que las ideas acerca de la centralidad de los derechos de propiedad, el bienestar de los consumidores y el orden espontáneo son mucho más ambiguas en cuanto a sus consecuencias económicas, políticas y morales de lo que sugeriría la doctrina neoliberal. No obstante, hay problemas aún más profundos con la ciencia económica moderna que no se plantearon con la escuela de Chicago; problemas que se remontan al modelo fundamental subyacente de toda la economía neoclásica moderna.

La ciencia económica moderna está construida en torno a la premisa de que los seres humanos son «maximizadores racionales de utilidad», lo que significa que utilizan sus considerables habilidades cognitivas para maximizar su propio interés individual.[27] Es indiscutible que los seres humanos son típicamente

27. Algunos economistas tratan de ampliar la «función de utilidad» para incluir el altruismo u otras conductas sociales simplemente como otra forma de preferencia individual. Esto hace que la teoría sea tautológica, ya que, en efecto, viene a decir que los seres humanos buscarán hacer lo que sea que busquen hacer.

avariciosos, egoístas y listos, y que, por tanto, responden a los incentivos materiales tal como sugieren los economistas. Sin incentivos individuales, las economías comunistas con una planificación central fueron un desastre. Cuando China permitió a los campesinos quedarse con parte de las ganancias de sus parcelas familiares bajo el «sistema de responsabilidad familiar» en lugar de trabajar en granjas colectivas, la producción de trigo pasó de 55 a 87 millones de toneladas en cuatro años.[28]

Sin embargo, algunos aspectos clave de este modelo son totalmente erróneos y contradicen nuestra experiencia cotidiana. Discutiremos en un capítulo posterior sobre si los seres humanos son realmente racionales; además, la parte maximizadora de la teoría ha sido cuestionada por diversos críticos, desde Herbert Simon hasta los economistas conductuales contemporáneos. Pero, por el momento, quiero centrarme en otro aspecto del modelo, como es la premisa de que los seres humanos actúan ante todo como individuos.

Los economistas construyen toda una teoría de la conducta social sobre esta premisa individualista. La teoría económica de la acción colectiva sostiene que los individuos se reúnen en grupos sobre todo como un medio de maximizar sus propios intereses individuales y no como resultado de una sociabilidad natural. Una vez más, esta premisa aporta algunos datos interesantes. Antes de la publicación, en 1965, del libro de Mancur Olson, *The logic of collective action*, muchos observadores daban por sentado que los seres humanos colaborarían de forma natural.[29] Olson señaló que las personas tienen incentivos para unirse a grupos para ser partícipes de los beneficios que aporta el grupo, como la defensa nacional o una moneda estable. Sin embargo, también tienen un incentivo para aprovecharse de manera oportunista de esos beneficios, especialmente cuando el tamaño del grupo

28. Jiao, Xiao-qiang, Nyamdavaa Mongol y Fu-suo Zhang, «The Transformation of Agriculture in China: Looking Back and Looking Forward», *Journal of Integrative Agriculture*, 17 (2018), pp. 755-764; Organización de las Naciones Unidas para la Alimentación y la Agricultura, <www.fao.org/home/en>.

29. Olson, Mancur, *The Logic of Collective Action: Public Goods and the Theory of Groups*, Harvard University Press, Cambridge (Massachusetts), 1965.

aumenta y es difícil controlar el comportamiento de los miembros individuales. Esto explica conductas que van del absentismo laboral a la evasión de impuestos.

Desde la publicación del libro de Olson, para entender bajo qué condiciones estarían los individuos dispuestos a colaborar en grupos, se ha recurrido mucho a la teoría de juegos, la cual ha aportado datos muy útiles. Existe una extensa bibliografía sobre teoría económica —bajo el nombre de «teoría del agente-principal»— que utiliza esas premisas individualistas para explicar la conducta de la gente en grandes organizaciones jerárquicas. La teoría es sobre todo aplicable al comportamiento específicamente económico, como el caso de las empresas que deciden cuándo colaborar para fijar precios o cómo reaccionarán los operadores de bonos ante los diferentes perfiles de riesgo. Pero, al final, resulta por completo inadecuado como modo de entender el comportamiento humano en su totalidad.

Aunque los seres humanos actúan a menudo como individuos egoístas, también son criaturas profundamente sociales que no pueden ser felices de manera individual sin el apoyo y el reconocimiento de sus semejantes. En este sentido, no están impulsados tanto por su racionalidad y sus deseos materiales como por sus emociones. Los sentimientos de orgullo, ira, culpa y vergüenza tienen que ver con normas sociales compartidas. Si bien el contenido específico de dichas normas está determinado por la cultura, la propensión humana a cumplir normas es innata en todos y en todo el mundo, salvo en los sociópatas más recalcitrantes. Esto puede apreciarse en la conducta de los niños pequeños en el patio de recreo, a los cuales sus padres no les tienen que enseñar a experimentar remordimiento o vergüenza cuando violan las normas informales de su grupo de juego. Vemos el lado social de la vida humana en el intenso sufrimiento y la profunda depresión que sienten las personas solas, algo que se ha hecho evidente durante la reciente pandemia de COVID-19 que obligó a todo el mundo a separarse o distanciarse de sus amigos y compañeros.

Por tanto, la «función de utilidad» humana incluye mucho más que preferencias materiales. Los seres humanos también ansían respeto, el reconocimiento intersubjetivo que nos proporcionan los demás acerca de nuestra valía o dignidad. Existe un juego famoso en la economía experimental —el «juego del ultimátum»— en el que dos jugadores comparten una cantidad de dinero. El primer jugador puede repartir la cantidad como desee; el segundo jugador puede decidir aceptar el reparto propuesto por el primero o rechazarlo por completo. Si se practica de manera repetida, el juego muestra que si las porciones se dividen de manera más o menos equitativa, el segundo jugador casi siempre acepta el reparto, pero si la cantidad restante se sitúa por debajo de un porcentaje determinado, el segundo jugador se retirará con mucha frecuencia a causa de la desigualdad de la división. Se trataría de una decisión irracional si los jugadores estuvieran simplemente maximizando su propio interés individual, pero tiene sentido si asumimos que tienen sentimientos de orgullo o autoestima.

Asimismo, los humanos no sólo tienen respeto por sí mismos, sino también por cosas externas como pueden ser las creencias religiosas, las reglas sociales y las tradiciones, incluso cuando esos anhelos provocan un comportamiento que acarrea costes individuales. Esto significa que los seres humanos no pueden «maximizar» tal como sugiere el modelo económico básico, el cual da por sentado que las personas tienen preferencias estables. Más bien tienen que lograr un equilibrio entre deseos incompatibles de maneras que son difíciles de predecir con antelación. Ésa es la esencia de la autonomía humana: las personas eligen constantemente entre su propio interés material y bienes intangibles como el respeto, el orgullo, los principios y la solidaridad, y lo hacen de maneras que no se adaptan al modelo básico de maximización de la utilidad. Esto es especialmente cierto en las organizaciones, donde la conducta se ajusta de modo habitual a las expectativas planteadas por el resto de los miembros más que a un simple cálculo del interés particular. Si los seres humanos fueran simples máquinas maximizadoras, nunca servirían en combate y ni siquiera perderían el tiempo en votar.

Por consiguiente, la premisa individualista en que se basa la teoría liberal no es errónea, sino más bien incompleta. Desde una amplia perspectiva histórica, el individualismo es algo que ha evolucionado a lo largo de los siglos y se ha convertido en una parte fundamental de la autocomprensión humana.[30]

En anteriores fases del desarrollo social humano —cuando las formas dominantes de organización eran bandas, linajes segmentarios o tribus—, la mayoría de los seres humanos estaban íntimamente ligados a grupos sociales fijos y tenían pocas oportunidades de expresar sus preferencias individuales. Esta falta de autonomía no tenía relación sólo con decisiones económicas sino también con decisiones sobre dónde vivir, con quién casarse, qué ocupación elegir o qué creencias religiosas profesar. El proceso de modernización que se ha ido produciendo a lo largo del último milenio ha ido liberando poco a poco a la gente de esas estructuras sociales.

El individualismo en la familia era la madre de todos los individualismos. En las sociedades tradicionales, el parentesco es el principio vertebrador dominante del orden social. No son los gobiernos, sino los familiares, quienes establecen reglas que limitan las decisiones individuales. Como expliqué en *Los orígenes del orden político*, extensos grupos familiares empezaron a perder su poder, primero en Europa, donde la Iglesia católica en los primeros tiempos de la Edad Media modificó las normas hereditarias para debilitar la capacidad de los grupos familiares para controlar la herencia de la propiedad.[31] Los bárbaros germanos que invadieron el Imperio romano estaban organizados en tribus patrilineales, pero su conversión al cristianismo disolvió con rapidez esos vínculos tribales y los sustituyó por relaciones más contractuales e individualistas de dominio y subordinación, lo que denominamos «feudalismo». El derecho europeo empezó a proteger formalmente los derechos de los individuos, en contraposición a los grupos familiares, a comprar, vender y heredar propiedades, extendiendo esos derechos tanto a las mujeres como a los hombres. Esta tendencia fue especialmente marcada en Inglaterra que, como era de esperar, se convirtió en la nación donde nació el individualismo moderno.

30. Véase Siedentop, *Inventing the Individual*, *op. cit.*
31. Véase Fukuyama, *Los orígenes del orden político*, *op. cit.*

Por ende, no es casualidad que Inglaterra fuera también el lugar donde nació el capitalismo moderno. Los mercados modernos dependen de la impersonalidad de las transacciones: si se está obligado a comprar y vender a familiares, la escala económica y la eficiencia a la que se puede aspirar será limitada. Las instituciones de los derechos de propiedad y la ejecución de los contratos por terceras partes como tribunales y árbitros fueron diseñadas para ampliar el alcance de los mercados y permitir interactuar a desconocidos. El crecimiento económico fomentado por el individualismo económico fue, por tanto, uno de los grandes motores de su expansión por todo el mundo.

Es absurdo pensar que en este momento de la historia podamos cambiar el rumbo y, de algún modo, retroceder al individualismo moderno, lo que significaría desandar los últimos mil años de historia humana. El liberalismo individual no excluye ni niega la sociabilidad humana: significa tan sólo que, idealmente, la mayoría de los compromisos sociales en una sociedad liberal serán voluntarios. Puedes unirte a otras personas, pero los grupos a los que te incorpores son, en la medida de lo posible, cuestión de elección personal. Esto es lo que crea la sociedad civil que vemos a nuestro alrededor. La principal promesa del liberalismo, consistente en proteger las decisiones individuales, sigue siendo intensamente deseada por la gente moderna, no sólo por las personas de Occidente, donde nacieron el liberalismo y el individualismo, sino hoy en día en todo el planeta, en todas las sociedades que se hallan en proceso de modernización. Sin embargo, dado que los seres humanos también son criaturas inherentemente sociales, este creciente individualismo ha sido recibido siempre de manera ambivalente. Aunque a los individuos les han molestado siempre las restricciones impuestas por la «sociedad», al mismo tiempo han deseado los vínculos de la comunidad y la solidaridad social y se han sentido aislados y excluidos en su individualismo.

Así pues, el problema del neoliberalismo con la economía no era que partiese de premisas falsas. Sus premisas eran a menudo correctas; simplemente sucedía que eran incompletas y, con frecuencia, históricamente contingentes. El defecto de la doctrina fue llevar esas premisas a un extremo en el que los derechos de propiedad y el bienestar de los consumidores fuesen objeto de adoración, y todos los aspectos de la acción estatal y la solidaridad social, denigrados.

4

El yo soberano

La autonomía individual fue llevada al extremo por los liberales de derechas que pensaban fundamentalmente en la libertad económica. Sin embargo, también fue llevada al extremo por los liberales de izquierdas, los cuales valoraban un tipo de autonomía diferente centrado en torno a la autorrealización individual. Mientras que el neoliberalismo ponía en peligro la democracia liberal creando una desigualdad excesiva e inestabilidad financiera, el liberalismo de izquierdas evolucionó en la política identitaria moderna, algunas versiones de la cual empezaron a socavar las premisas del propio liberalismo. El concepto de autonomía se absolutizó de tal modo que puso en peligro la cohesión social y, en ese sentido, los activistas progresistas empezaron a utilizar la presión social y el poder del Estado para silenciar las voces críticas con su programa.

La expansión del ámbito de la autonomía individual tuvo lugar en dos campos. El primero fue el filosófico, donde el significado de la autonomía personal se fue ampliando constantemente desde la elección dentro de un marco moral establecido hasta la capacidad de elegir el propio marco. El segundo fue el político, donde la autonomía pasó a significar autonomía no para un individuo, sino para el grupo en el que estaba incorporado. El primero de esos acontecimientos absolutizó la autonomía por encima de todo el resto de los bienes humanos, mientras que el segundo acabó cuestionando algunas de las premisas que subyacen al propio liberalismo, como la presión de este último sobre el universalismo o su exigencia de tolerancia.

En el pensamiento occidental, la autonomía o la capacidad de elección ha sido considerada durante mucho tiempo la característica que hace humanos a los seres humanos y que, por tanto, es la base de la dignidad humana. Esto empieza con la historia de Adán y Eva en el libro del Génesis: Adán y Eva desobedecen la orden de Dios de no comer del árbol del conocimiento del bien y del mal y, por consiguiente, son expulsados del jardín del Edén. Toman la decisión equivocada, y ese pecado original condena desde entonces a la humanidad a sufrir, a trabajar y a parir con dolor. Pero también le concede la capacidad de realizar una elección moral, cosa de la que carecía en su estado de inocencia original. Esta capacidad de elección confiere a los seres humanos un estatus moral intermedio. Son más elevados que el resto de la naturaleza creada porque, a diferencia de los animales o las plantas, pueden elegir y no están impulsados tan sólo por sus naturalezas; pero son inferiores a Dios, porque pueden elegir mal. Podría añadirse que, en la historia de la Biblia, su capacidad de elección no abarca poder dictar la propia ley moral, sino simplemente obedecerla; sólo Dios tiene la capacidad de determinar la naturaleza del bien y el mal.

La historia del Génesis contiene una reflexión muy profunda sobre la naturaleza humana. Vemos la transición de la inocencia al conocimiento del bien y el mal en el desarrollo de cada niño humano. Nadie culpa a un bebé por llorar o mojar los pañales; en cierto sentido, los niños nacen sin conocimientos morales y actúan por instinto. Sin embargo, a medida que se desarrollan y pasan de niños a adultos, se ven expuestos a las ideas del bien y del mal, y su sentido moral se desarrolla de un modo que les permite tomar decisiones. La diversidad de culturas y sistemas legales de todo el mundo determina diferentes edades para la transición a la edad adulta, pero ninguna cultura deja de considerar a los adultos responsables de obedecer sus normas. Sabemos que la elección individual está fuertemente condicionada por el entorno en el que crece un niño —familia, amigos, estatus socioeconómico, etcétera—, así como por factores genéticos sobre los cuales el individuo no tiene ningún control. Muchos sistemas legales consideran estos factores exógenos como circunstancias atenuantes que influyen en la manera en que una sociedad trata a quienes infringen las normas. Sin embargo, ni en la actualidad ni históricamente, ninguna sociedad ha dicho que sus miembros queden así exentos de cualquier forma de responsabilidad personal, y todos los sistemas legales del mundo se basan en la idea de que existe cierto grado de elección individual que hace que las personas sean responsables de sus actos.

Esta idea original judeocristiana fue desarrollada por Martín Lutero y se convirtió en la base doctrinal de la Reforma protestante. Según Lutero, la esencia del cristianismo era únicamente la fe, un estado interno, que podía ser inaccesible incluso para el creyente. No residía en la conformidad del individuo con los rituales y las reglas establecidas por la Iglesia católica. Esto sentó las bases para posteriores ideas sobre la existencia de un yo interior oculto diferenciado del yo exterior visible para el resto de la sociedad.

La idea de un yo interior no es exclusiva del cristianismo occidental. El hinduismo, por ejemplo, está construido en torno a la idea de un alma interior que puede migrar por el tiempo y por diferentes cuerpos físicos.Con todo, históricamente, la mayoría de las sociedades han dado prevalencia al hecho de atenerse a las normas externas establecidas sobre la expresión de los deseos del yo interior. Lo que hizo Lutero fue cambiar el valor del interior y del exterior: toda la estructura institucional de la Iglesia católica podría estar equivocada, y un creyente individual con fe podría tener razón. El protestantismo se edificó en torno a creyentes individuales que leían la Biblia y podían llegar a sus propias conclusiones acerca de la palabra de Dios. Esto desencadenó una revolución contra la Iglesia y sumió a Europa en un siglo y medio de guerras religiosas sobre el centro neurálgico de la fe cristiana.

La valoración del yo interior por parte de Lutero no concedía al yo libertad para elegir lo que quisiera. Lutero permaneció dentro de un marco cristiano: los seres humanos tenían capacidad de elección, pero se trataba de una capacidad para tener o no tener fe en la palabra de Dios. En los siglos siguientes, los pensadores de la Ilustración no sólo empezaron a cuestionar la autoridad de la Iglesia, sino la de la religión misma. El acto de elegir pasó a ser considerado algo distinto y más valioso que la sustancia de lo elegido. Para la época de la Revolución francesa, la idea de libertad cristiana evolucionó hacia la de los derechos del hombre. Esos derechos estaban conectados con la elección, pero desvinculados del marco en el que estaba insertada.

La preponderancia de lo interno sobre lo externo adquirió forma laica, especialmente en la obra de Jean-Jacques Rousseau, quien sostenía que la maldad humana empezó cuando los individuos felices y aislados que vivían en estado de naturaleza se agruparon en una sociedad. Rousseau le dio la vuelta a la historia de la Biblia, según la cual Adán y Eva fueron declarados culpables de un pecado original que había que expiar. Argumentó que los seres humanos eran buenos por naturaleza y que se volvían malos únicamente cuando entraban a formar parte de una sociedad y empezaban a compararse unos con otros. Sin embargo, sostenía que los humanos también eran «perfectibles», lo que significa que no estaban determinados por lo que hoy en día denominaríamos sus «entornos culturales» y podían optar por recuperar su bondad original. Planteó una idea que devino fundamental en el pensamiento moderno: que tenemos naturalezas internas ocultas profundamente en nuestro interior y que son sofocadas por las capas de las reglas que nos impone la sociedad que nos rodea. Para él, la autonomía significaba la recuperación del auténtico yo interior y una huida de las normas sociales que lo aprisionan.

El otro pensador de la Ilustración que fue determinante para la comprensión del liberalismo moderno fue Immanuel Kant. Kant partió de la idea de la perfectibilidad de Rousseau y la convirtió en el centro de su filosofía moral. Al principio de sus *Fundamentos de la metafísica de las costumbres*, dice que lo único que es bueno de manera incondicional es la buena voluntad y que la capacidad de tomar decisiones morales es lo que nos hace característicamente humanos. Los seres humanos son fines en sí mismos y no deberían ser tratados nunca como un medio para otros fines. Aquí podemos apreciar un reflejo laico de la idea cristiana del hombre hecho a imagen de Dios, basada en su capacidad de hacer elecciones morales. Pero, a diferencia de la libertad cristiana, la moral kantiana está enraizada en normas abstractas de la razón y no en la palabra revelada de Dios. Sienta la base para el universalismo y la igualdad liberal: personas de nacionalidades diferentes tienen la misma capacidad de hacer elecciones morales. Como en el caso de la Iglesia universal, esta misma dignidad significa que todas las personas deben ser tratadas con el mismo respeto, un respeto que se formalizaría mediante un sistema legal.

Kant daba prioridad al propio acto de la elección respecto a cualquiera de los fines o «bienes» concretos que tratan de lograr los seres humanos. No enraizaba esta prioridad en observaciones empíricas sobre la naturaleza del conflicto político. Por el contrario, su prioridad surgía directamente de su metafísica. Kant distinguía entre el mundo de los noúmenos y de los fenómenos. El primero era el mundo tal como se nos presenta por la experiencia cotidiana, un embrollo de sensaciones, recuerdos y percepciones organizadas por el sujeto humano a través de la diversidad del tiempo y del espacio. El segundo mundo era el reino de los fines, el ámbito en el que se situaban los «sujetos que deciden» y en el cual no regían las leyes deterministas de la física. El sujeto que decide era anterior a sus atributos específicos, como la familia, el estatus social y las posesiones. Las normas morales planteadas por Kant, como la que establece que las personas deberían ser tratadas como fines en sí mismas y no como medios para un fin, eran normas fruto de la razón que procedían de sus asunciones *a priori*, no de alguna forma de observación empírica. Este enfoque del razonamiento moral se denomina, en ocasiones, «deontológico», porque no está relacionado con ninguna ontología o teoría sustantiva de la naturaleza humana que especifica los fines que tratan realmente de alcanzar los seres humanos.

El enfoque angloamericano de la teoría liberal era todo menos deontológico. Thomas Hobbes empieza el *Leviatán* con una teoría explícita de la naturaleza humana, presentando un catálogo de pasiones humanas en el que sitúa el miedo a una muerte violenta en la cúspide de los «males» humanos que el contrato social trata de mitigar. La explicación del «estado de naturaleza» de Hobbes es en realidad una metáfora de una teoría de la naturaleza humana; si bien difiere de la planteada por John Locke en el *Segundo tratado sobre el gobierno*, ambos basan sus teorías en planteamientos explícitos sobre la jerarquía de los fines sustantivos perseguidos por los seres humanos. Sus teorías del derecho natural fueron ampliadas por Thomas Jefferson, el cual basó sus reivindicaciones sobre la independencia de Estados Unidos en la proposición «obvia» de que «todos los hombres son creados iguales».

Actualmente, casi ningún teórico sostiene la creencia en los argumentos del derecho natural de Hobbes, Locke o Jefferson. Con el tiempo, en las sociedades liberales ha habido una reticencia cada vez mayor a plantear fines humanos sustantivos que tienen prioridad sobre otros fines; por el contrario, es el propio acto de la decisión el que tiene máxima prioridad. La tradición angloamericana del liberalismo converge con el enfoque continental de Immanuel Kant en la persona de John Rawls, el profesor de Harvard cuya *Teoría de la justicia* se ha convertido en la articulación dominante de la teoría liberal contemporánea.[32]

Al igual que Kant, Rawls pretendía determinar normas para una sociedad liberal que no estuvieran basadas en una teoría sustantiva de la naturaleza humana o en la observación empírica de los fines que los seres humanos aspiran a alcanzar en realidad. Sostenía, de manera parecida a Kant, que la justicia es anterior al bien, es decir, que las normas que protegen la elección de los bienes tienen prioridad sobre cualquier bien particular que los individuos pretendan conseguir. Sin embargo, Rawls no quería depender de la metafísica de Kant y de su postulado de un mundo noumenal separado del mundo de los fenómenos. Su estrategia para obtener esas normas abstractas se basa en su concepto de la

32. Rawls, John, *Teoría de la justicia*, traducción de María Dolores González, Fondo de Cultura Económica, Madrid, 1997.

«posición original», esto es, una situación en la cual los individuos pudieran acordar normas justas para su sociedad, una vez despojadas de cualquier conocimiento de la posición real que ocupaban en esa sociedad. Rawls sostenía que tras ese «velo de ignorancia», nadie escogería una norma que perjudicase a los miembros más débiles de la sociedad, ya que no sabrían de antemano si ellos formarían parte de ese grupo. Continuaba argumentando que el sujeto humano está separado de sus atributos, como sus propiedades, su riqueza, su clase social, su carácter o incluso su herencia genética, todo lo cual son características contingentes distribuidas de manera arbitraria. Esto sienta las bases para su justificación de un estado de bienestar extensivo en una sociedad liberal. Sostenía que los atributos contingentes como la propiedad o incluso la capacidad natural eran comunes a la sociedad en su conjunto y podrían redistribuirse para cubrir las necesidades de los más desfavorecidos.

El liberalismo rawlsiano se ha convertido en el centro de los debates contemporáneos acerca de la teoría liberal, y sigue siendo lo que determina la propia percepción de muchos liberales, especialmente en las comunidades académica y legal. Existe un paralelismo entre el paso del liberalismo económico al neoliberalismo y la evolución del liberalismo lockeano-jeffersoniano a la versión rawlsiana. En ambos casos, la clara idea subyacente (los beneficios del libre mercado por un lado y el valor de la autonomía individual por otro) se llevó a extremos insostenibles. En el caso de Rawls, el problema radica en la absolutización de la autonomía y la elevación de la elección por encima de todo el resto de los bienes humanos. Esta absolutización es cuestionable desde un punto de vista teórico y, al mismo tiempo, se ha desarrollado de manera problemática en las sociedades liberales.

Desde la publicación original de la *Teoría de la justicia* en 1971, Rawls ha sido objeto de numerosas críticas,[33] de las cuales las más destacadas han sido los ataques por parte de pensadores

33. Para una crítica heterogénea de Rawls, véase Bloom, Allan, «Justice: John Rawls Vs. the Tradition of Political Philosophy», en *Giants and Dwarfs: Essays 1960-1990*, Simon and Schuster, Nueva York, 1990.

libertarios como Robert Nozick, quien rebate la afirmación de Rawls de que, en cierto sentido, los individuos no «son dueños» de sus posesiones físicas ni de sus capacidades natas.[34] Sin embargo, existe otra importante bibliografía crítica que procede de los, así llamados, pensadores «comunitaristas», como Alasdair MacIntyre, Charles Taylor, Michael Walzer y Michael Sandel, que rebaten la prioridad absoluta otorgada por Rawls al yo elector y a la justicia sobre el bien.[35]

Michael Sandel describe el liberalismo rawlsiano como un proyecto liberador que, en última instancia, nos vacía de significado:

> El universo deontológico y el yo independiente que se mueve dentro de él, tomados en su conjunto, sostienen una visión liberadora. Liberado de los dictados de la naturaleza y de la sanción de los roles sociales, el sujeto deontológico está instalado como soberano, ubicado como el autor de los únicos significados morales que existen. [...] En tanto un yo independiente, soy libre para elegir mis propósitos y fines sin verme restringido por este orden, o por la costumbre, la tradición o una condición hereditaria. En tanto no sean injustas, nuestras concepciones del bien tienen un valor, sean cuales fueran simplemente en virtud de que las hayamos escogido.[36]

Sin embargo, imaginar un *yo* autónomo desvinculado de todas las lealtades y compromisos anteriores «no es concebir a un agente idealmente libre y racional, sino imaginar a una persona totalmente carente de carácter, sin profundidad moral»:

34. Nozick, Robert, *Anarchy, State, and Utopia*, Basic Books, Nueva York, 1974.

35. MacIntyre, Alasdair, *Tras la virtud*, Crítica, Barcelona, 2004; Taylor, Charles, *Fuentes del yo: la construcción de la identidad moderna*, Paidós Ibérica, Barcelona, 2011; Walzer, Michael, *Spheres of Justice: A Defense of Pluralism and Equality*, Basic Books, Nueva York, 1983; Sandel, Michael J., *El liberalismo y los límites de la justicia*, Gedisa, Barcelona, 2000.

36. Sandel, Michael J., El liberalismo y los límites de la justicia, *op. cit.*

> Quienes cuestionan la prioridad del derecho argumentan que la justicia es relativa al bien, y no independiente de él. Desde el punto de vista filosófico, nuestras reflexiones sobre la justicia no pueden separarse en ningún sentido mínimamente razonable de nuestras reflexiones sobre la naturaleza de la vida buena y de los fines humanos más elevados. Desde el punto de vista político, nuestras deliberaciones acerca de la justicia y los derechos no pueden progresar sin hacer referencia a las concepciones del bien que se manifiestan en las múltiples culturas y tradiciones en las que tales deliberaciones se dan.[37]

Podemos ilustrar esos argumentos relativamente simples con un ejemplo sencillo. Comparemos a dos individuos en una sociedad liberal moderna. Uno de ellos es un chico que se dedica a jugar a videojuegos, a navegar por internet y a vivir de las ayudas financieras de su acomodada familia. A duras penas acabó el instituto, no por carecer de recursos o padecer alguna discapacidad, sino sólo porque no le gusta estudiar. Le gusta fumar marihuana (la cual acaba de ser legalizada allá donde vive), no muestra ningún interés por leer para informarse sobre los acontecimientos actuales (ni por leer en general) y le encanta pasar el rato comprando productos en internet cuando no está metido en Facebook o dejando comentarios sarcásticos en Instagram. Aparte de conectarse a las redes sociales, no está especialmente comprometido con su círculo de amigos, ni los ayuda; en una ocasión, cuando las víctimas de un accidente de tráfico del que había sido testigo le pidieron ayuda, se alejó del lugar.

La segunda persona es una chica que se graduó en el instituto y asistió a la universidad pública, viéndose obligada a trabajar mientras estudiaba, ya que su madre, que se ocupaba de su educación en solitario, no podía permitirse el pago de la matrícula. La chica presta atención a los asuntos públicos y dedica todo el tiempo libre que puede a leer periódicos y libros. Tiene la esperanza de obtener un grado universitario de cuatro años y, finalmente, convertirse en abogada o entrar a formar parte de la Ad-

37. Ibídem, pp. 179, 186.

ministración pública. Como persona, es generosa y mantiene estrechas relaciones de amistad con una amplia variedad de gente, y ha asumido riesgos a lo largo de su vida defendiendo a personas que considera que han sido acusadas injustamente. Ni ella ni el primer individuo actúan de manera que impida a las personas que los rodean tomar decisiones comparables.

La teoría de la justicia de John Rawls no permitiría que ni las autoridades públicas ni nosotros juzgásemos a esos individuos y dijéramos que la chica nos parece superior desde un punto de vista moral al chico en modo alguno. Ambos siguen el plan de vida que se han marcado. Rawls argumentaría que esos planes están fuertemente influenciados por factores sociales contingentes como la familia y el barrio en que se crían, así como por la herencia genética proporcionada por sus padres. En ese sentido, no son agentes del todo autónomos, sino que están influidos de forma considerable por sus características contingentes que, en su opinión, explicarían sus diferentes elecciones. Pero, a menos que esos individuos pretendan impedir que otras personas actúen de manera autónoma, no hay un plano de superioridad desde el cual podamos juzgar sus méritos relativos. Mientras que el liberalismo lockeano imponía la tolerancia ante diferentes concepciones del bien, el liberalismo rawlsiano impone no juzgar las elecciones vitales de otras personas. De hecho, tiende a valorar la diferencia y la diversidad *per se* como formas liberadoras de las limitaciones sociales opresoras.

Si los dos individuos de mi ejemplo difiriesen en cuanto a raza, origen nacional o confesión religiosa, Rawls tendría razón al decir que un Estado liberal no podría discriminar entre ambos, puesto que se trata de características sobre las cuales no tienen ningún control. Sin embargo, en lo que difieren es en cuanto a su carácter: en qué medida son solidarios, generosos, sensatos, conectados con las personas que los rodean de modo significativo, valientes, bien informados e interesados en mejorar personalmente gracias a la educación. El carácter es algo que puede ser cultivado de forma deliberada por los individuos y constituye una parte importante de su autonomía. En apariencia, el ejercicio de esas virtudes sería uno de los requisitos importantes de una república liberal. De hecho, existe una tradición, descrita por J. G. A. Pocock, que se inició con los *Discursos* de Maquiavelo y atravesó el Atlántico para influir en el pensamiento de algunos de los fundadores de Estados Unidos, según la cual una república bien constituida tenía que estar edificada en torno a ciudadanos solidarios y sobreviviría o fracasaría basándose en el contenido de sus caracteres.[38]

Rawls argumentaría que el carácter de uno mismo —por ejemplo, si uno es solidario o egoísta— no es inherente al yo interior autónomo, sino un atributo contingente determinado por la herencia genética o cultural, como el color de la piel o la formación religiosa. Como Kant, argumentaría que el deseo de recibir una educación o de vivir en una sociedad con otras personas educadas, es una percepción del bien que no tiene una prioridad concreta sobre otras percepciones o los requisitos de la justicia. (De hecho, a Kant se le ha acusado por la incoherencia en este tema, ya que en otras ocasiones argumenta a favor de una ciudadanía educada.)[39]

El liberalismo rawlsiano proporcionó una justificación filosófica para la liberación del yo interior que estaba teniendo lugar de manera simultánea en la sociedad en sentido amplio y para un entendimiento cada vez más amplio del alcance de la autonomía personal. La década de 1950 representó con toda probabilidad el punto culminante del consenso y la conformidad social, tanto en Estados Unidos como en Europa. En Estados Unidos, el Partido Republicano había llegado a aceptar el New Deal y el estado de bienestar, y sus políticas se habían solapado considerablemente con las del Partido Demócrata. En Europa, existía un acuerdo general acerca de la necesidad de un estado de bienestar sólido, el cual se construyó en Alemania y Francia con aportaciones considerables por parte de los partidos democristianos de centrodere-

38. Pocock, J. G. A., *El momento maquiavélico: el pensamiento político florentino y la tradición republicana atlántica*, traducción de Eloy García, Tecnos, Madrid, 2019.

39. Apuntado en Galston, William A., «Liberal Virtues», *American Political Science Review*, 82 (1988), pp. 1277-1290.

cha. La identificación religiosa con las Iglesias protestante y católica dominantes era muy marcada en Estados Unidos; un 50 por ciento de los ciudadanos declaraba acudir a la iglesia de manera habitual.[40]

Sin embargo, bajo esta fachada de conformidad social se estaban formando nuevas corrientes intelectuales. Cada vez más, los objetivos personales no estaban ya marcados por una religión institucionalizada, sino por la necesidad de «autorrealización». El encumbramiento de la autorrealización podría considerarse una manifestación contemporánea del yo interior de Rousseau, el auténtico ser que estaba siendo sofocado y eliminado por la regulación social. El psicólogo social Abraham Maslow situó la autorrealización en la cúspide de las necesidades humanas, por encima de preocupaciones más ordinarias como la familia o la solidaridad social.[41] Al hacerlo, Maslow recibió el apoyo de una nueva y creciente infraestructura de psicoterapeutas que habían ido desplazando cada vez más al pastor o al sacerdote como fuente de consuelo social para personas atormentadas o marginadas.

La generación *beat* de la década de 1950 y la contracultura que surgió durante la de 1960 identificaron la conformidad en sí misma como el principal mal que impedía la realización del potencial humano. La revuelta se extendió a la política, y la llamada «Nueva Izquierda» apareció para cuestionar las políticas melioristas de los liberales estadounidenses, cuyas posturas políticas habían involucrado al país en la guerra de Vietnam. En Europa tuvo lugar una radicalización parecida de la política, y, por ejemplo, los sucesos de 1968 condujeron, entre otras cosas, al derrocamiento del emblemático Charles de Gaulle como presidente de Francia.

En Estados Unidos hubo una rápida reacción política en contra de la agitación social de la década de 1960, y a la postre condujo a la aplastante victoria de Richard Nixon en 1968 y a su reelección en 1972. La debacle de Vietnam y el escándalo del Watergate

40. Putnam, Robert D. y David E. Campbell, *American Grace: How Religion Divides and Unites Us*, Simon and Schuster, Nueva York, 2010, p. 83.

41. Maslow, Abraham H., «A Theory of Human Motivation», *Psychological Review*, 50 (1950).

incrementaron el escepticismo de muchos estadounidenses y europeos frente a sus propias instituciones, pero no impidieron el auge de una nueva generación de líderes conservadores —Ronald Reagan y Margaret Thatcher— en la década de 1980. A lo largo de la siguiente generación, los campus universitarios se calmaron y los estudiantes parecían más centrados en la seguridad laboral y el desarrollo de su carrera profesional que en los temas sociales y la política.

La principal acción política de Reagan se centró en una versión diferente de la autonomía liberal, el programa neoliberal de apartar al Estado de la regulación de los mercados privados y la maximización de la libertad económica. No obstante, al arremeter incesantemente contra el Estado y la idea de la acción colectiva, el reaganismo sirvió para deslegitimar las instituciones existentes e incrementar el escepticismo ante el potencial papel del gobierno. A pesar de que Reagan continuó gozando de popularidad personal a lo largo de su presidencia, una desconfianza social generalizada empezó a aumentar de manera ininterrumpida durante ese período.[42]

La fachada de conservadurismo social y político ocultó los enormes cambios que se estaban produciendo bajo la superficie. El deseo de autorrealización no desapareció, sólo se desvió de la política y del activismo contracultural explícito hacia algo más profundamente personal. Tara Isabella Burton describe esta transformación como una «religión remezclada», en la cual la conformidad con la religión institucional se sustituyó por una religión «intuitiva» que podría formarse a partir de diversas piezas como resultado de una decisión individual.[43] Muchos estadounidenses complementaron o simplemente sustituyeron el cristianismo por diversas religiones orientales como el hinduismo o el budismo, las cuales les proporcionaban un camino hacia

42. Sobre la pérdida de confianza en Estados Unidos, véase Zuckerman, Ethan, *Mistrust: Why Losing Faith in Institutions Provides the Tools to Transform Them*, W. W. Norton, Nueva York, 2020, p. 83.

43. Burton, Tara Isabella, *Strange Rites: New Religions for a Godless World*, PublicAffairs, Nueva York, 2020.

la espiritualidad que parecía bloqueado por las Iglesias dominantes. Otros millones de personas empezaron a practicar versiones descafeinadas del hinduismo bajo formas asociadas al yoga y a la meditación, que se centraban directamente en la recuperación del yo interior. Creían que lo hacían para hacer ejercicio o mejorar su salud mental, aunque, de manera inconsciente, estaban convencidos de la idea de que la recuperación de su yo profundamente oculto sería su última fuente de felicidad.

Había otras dimensiones de esta búsqueda del yo interior, como los movimientos del «bienestar» y del «cuidado personal» y el énfasis en la salud mediante prácticas como comer alimentos orgánicos. Por supuesto, las personas tienen que cuidar su cuerpo, pero el «bienestar» adoptó un significado espiritual para muchos estadounidenses, promovido activamente por compañías que aspiran a ganar dinero convenciendo a los consumidores de que sus productos no sólo mejoran el cuerpo, sino también el alma. Un ejemplo planteado por Burton es el de SoulCycle, un centro de gimnasia que no sólo ofrecía entrenamientos de aeróbic, sino también, según su publicidad, un camino para convertirse en una persona mejor («un rebelde, un héroe, un guerrero»), así como disfrutar de esa sensación de pertenencia a una comunidad que en su día habían proporcionado las religiones tradicionales. Otras manifestaciones de la actual búsqueda del yo interior son los cursos de *mindfulness* (conciencia plena), las apps de meditación y los productos de cuidado personal en los que los productos de salud, los alimentos orgánicos y las cremas dermatológicas se comercializan como medios para recuperar y proteger a tu «verdadero yo». Así como los terapeutas empezaron a desplazar a los pastores y sacerdotes como sanadores de la aflicción espiritual en las décadas de 1950 y 1960, en la década de 2000 se asistió al auge de los *influencers* de internet, que desplazaban a los terapeutas como las personas a las que acudir en busca de ayuda.

El cuidado personal y los movimientos de bienestar son simplemente manifestaciones contemporáneas de la visión de Rousseau de la «plenitud» del yo interior. Es decir, se asume que el yo es bueno y que su recuperación es la fuente original de la felicidad humana; sin embargo, ha sido contaminado por una sociedad exterior que nos nutre con alimentos poco saludables, llenos de pesticidas y sabores artificiales, que fija objetivos y expectativas que provocan ansiedad y dudas, y que genera ansias competitivas que minan nuestra autoestima. En lugar de adorar a Dios, tenemos que adorarnos a nosotros mismos, a un yo que está oculto por las dudas y la incertidumbre, igual que Dios estuvo en su día oculto para Martín Lutero. En lugar de buscar la falsa consideración de los demás, tenemos que tener consideración por nosotros mismos. Eso es lo que, en última instancia, nos proporciona el dominio y el control de nuestras vidas.

El liberalismo rawlsiano empezó como un proyecto de defensa de la elección individual frente al control social opresor. Rawls apuntó explícitamente a las versiones utilitarias del liberalismo desarrolladas por pensadores como Jeremy Bentham, quien sostenía que el bien del colectivo (o de la mayoría) podría anular los derechos de los individuos. La defensa de Rawls de la justicia por encima del bien se basaba en el deseo de proteger a los individuos que disentían de las opiniones establecidas, como las promovidas por las religiones tradicionales. Aunque en las sociedades liberales contemporáneas muy pocas personas han leído a Rawls, sus opiniones han calado de muchas formas en la cultura popular y en el sistema legal estadounidense. Creemos que tenemos un yo interior cuya libertad está limitada por un conjunto de instituciones existentes, que van desde la familia hasta los lugares de trabajo y las autoridades políticas. En muchos ámbitos, la disidencia es considerada algo positivo, y lo que se condena es el hecho de juzgar, de ser sentencioso. La libertad de elección se extiende no sólo a la libertad de actuar dentro del marco moral establecido, sino también a la elección del propio marco.

Cabría preguntarse qué tiene de terrible una sociedad en la cual los individuos aspiren a realizarse de diferentes formas, desde llevar una dieta saludable hasta practicar el yoga o el *soul cycling* (ciclismo para el alma), mientras no vulneren el principio de justicia de Rawls y ello no impida que otros individuos se realicen. ¿En qué medida se trata de una amenaza al liberalismo y no una puesta en práctica de las ideas liberales?

Hay dos respuestas a esta pregunta. La primera es que la creencia en la soberanía del individuo acentúa la tendencia del liberalismo a restar importancia a otras formas de participación comunitaria y, especialmente, aparta a la gente de virtudes como la solidaridad, que son necesarias para sostener una política liberal en general.

Mantiene a las personas atrapadas en lo que Tocqueville señaló que eran las «pequeñas comunidades» de la familia y los amigos, en lugar de participar más ampliamente en la política.

El segundo problema es el contrario al primero. Muchas personas no se sentirán nunca satisfechas con la soberanía individual que se les dice que pueden ejercer. Tendrán la impresión de que su yo interior no es soberano, como sugiere Rawls, sino que está fuertemente influido por fuerzas externas como el racismo y el patriarcado. La autonomía no tiene que ser ejercida tanto por los individuos como por los grupos de los cuales son miembros. La afirmación de Rawls de que los individuos racionales se mostrarán de acuerdo con los principios de la posición original sobrestima la racionalidad humana y parecería equivocada desde un punto de vista empírico.[44] El tipo de liberalismo que pretende a toda costa ser implacablemente neutral en lo que respecta a los «valores» acaba fracasando y volviéndose contra sí mismo al cuestionar el valor del propio liberalismo, y se convierte en algo que no es liberal.

44. Una de las críticas a la afirmación de Rawls de que todas las personas tras el velo de ignorancia elegirían una regla que no perjudicara a los más débiles es que da por sentado un nivel muy bajo de tolerancia al riesgo. Es totalmente posible que alguien opte por arriesgarse a estar peor si puede tener la esperanza de ser muy rico y poderoso, prefiriendo, digamos, una vida en la Italia del Renacimiento a una en la Suiza moderna, como en la película *El tercer hombre*.

5

El liberalismo se opone a sí mismo

Como expliqué en mi libro *Identidad*, la idea de que cada uno de nosotros tiene un yo interior auténtico que exige respeto y reconocimiento ha estado presente desde hace mucho tiempo en el pensamiento occidental. Esas identidades son diversas, múltiples y omnipresentes. Por otro lado, la «política identitaria» tiende a centrarse en una característica fija, como la raza, el origen étnico o el sexo. Esas características no se consideran simplemente como unas de las muchas presentes en el individuo, sino más bien como un componente esencial del yo interior que exige reconocimiento social.

Hay muchos lugares del mundo en los que la política identitaria está muy marcada. Los Balcanes, Afganistán, Birmania, Kenia, Nigeria, la India, Sri Lanka, Irak, Líbano y otros países y regiones se encuentran divididos en grupos étnicos o religiosos claramente delimitados, y la lealtad a esas pequeñas identidades a menudo predomina sobre otras identidades nacionales más amplias. La política identitaria hace que el liberalismo sea difícil de aplicar en esas sociedades; me referiré a las estrategias políticas utilizadas para conciliar las exigencias de reconocimiento colectivo en el Capítulo 9.

En Estados Unidos, la política identitaria empezó en la izquierda, donde grupos marginados, como los afroamericanos, las mujeres y los homosexuales, entre otros, empezaron a exigir un reconocimiento igualitario en una serie de movimientos sociales que se iniciaron en la década de 1960.[45] La política identitaria fue una herramienta de movilización muy poderosa que pudo contribuir a promover los derechos de esas comunidades. Fue una forma de ayudar a los individuos a entender de qué maneras habían sufrido injusticias y un trato desigual y qué tenían en común con otros miembros de su grupo.

Inicialmente, la política identitaria surgió como un intento de cumplir la promesa del liberalismo, la cual predicaba una doctrina de igualdad universal e igual protección de la dignidad humana ante la ley. Sin embargo, de manera lamentable, las verdaderas sociedades liberales no consiguieron estar a la altura de esos ideales. En Estados Unidos, después de la guerra de Secesión y de la promulgación de la decimotercera, la decimocuarta y la decimoquinta enmiendas, la segregación y la gran desigualdad de oportunidades para los afroamericanos estaban profundamente arraigadas en muchas partes del país. En la mayoría de las democracias liberales, las mujeres no tuvieron derecho al voto hasta la década de 1920, y estuvieron excluidas en gran medida del mercado laboral hasta la década de 1960. La homosexualidad era delito en la mayoría de las democracias, y los gais y las lesbianas continuaron dentro el armario todavía durante más tiempo. En el ámbito internacional, la dominación colonial de gran parte del mundo se prolongó hasta mucho después de la Segunda Guerra Mundial, encabezada por las potencias liberales dominantes, como el Reino Unido y Francia.

Las mujeres han tenido que soportar desde tiempos inmemoriales una amplia gama de agravios, que van desde el acoso sexual hasta las violaciones y otras formas de violencia, situación que de-

45. La política identitaria blanca ha existido durante mucho tiempo; el Ku Klux Klan fue fundado por confederados derrotados —entre ellos, Nathan Bedford Forrest—, quienes creían que el Sur había sido «conquistado» injustamente en la «guerra de agresión del Norte» y que, como consecuencia de ello, los blancos tenían que reafirmar la supremacía de su raza. Sin embargo, fuera del Sur y sus límites, la mayoría de los estadounidenses blancos no se consideraban ante todo personas blancas objeto de abuso, sino estadounidenses que daba la casualidad de que eran blancos.

vino crítica con su incorporación masiva al mercado de trabajo a partir de la década de 1960. Esos agravios fueron soportados a nivel individual por la mayor parte de las mujeres hasta el auge del movimiento #MeToo (#YoTambién), que, como indica el *hashtag*, reveló que el acoso era una experiencia habitual compartida por una amplia categoría de mujeres. Fue esta nueva concienciación de una experiencia común la que impulsó un movimiento político con el objetivo de cambiar las leyes y las normas relativas a la interacción entre hombres y mujeres. En la misma línea, los afroamericanos han sido y continúan siendo de manera desproporcionada víctimas de arresto o encarcelación, se les han impuesto sentencias más largas por delitos equivalentes y han sido sometidos durante mucho tiempo a humillaciones tales como detenciones y registros policiales que no han sufrido las personas blancas. En un sistema político democrático, la única manera de remediar ese trato desigual es mediante la acción política: los ciudadanos, tanto negros como blancos, tienen que entender la naturaleza del racismo y movilizarse para reclamar una acción política para combatirlo.

Entendida así, la política identitaria trata de completar el proyecto liberal y lograr lo que se espera que sea una sociedad «incolora». Bajo esa bandera fue cómo el movimiento en favor de los derechos civiles puso fin a las leyes de segregación y trajo consigo cambios legales de primer orden, como la Ley de Derechos Civiles y la Ley de Derecho de Voto. Los activistas empezaron a cuestionar las leyes discriminatorias en el sur de Estados Unidos; las reacciones violentas y justicieras de la policía incendiaron la opinión pública, y las dimensiones del movimiento aumentaron. Los objetivos de los líderes del movimiento, como Martin Luther King, eran simplemente que se incluyera a los afroamericanos en la amplia identidad nacional, tal como prometía la decimocuarta enmienda.

No obstante, con el paso del tiempo, las críticas empezaron a pasar de referirse al fracaso del liberalismo para mantenerse a la altura de sus propios ideales, a hacer referencia a las propias ideas liberales y a las premisas subyacentes de la doctrina. Estas críticas pusieron el acento en el individualismo, en su reivindicación de una universalidad moral y en su relación con el capitalismo.

En los últimos años, en Estados Unidos ha tenido lugar una acalorada discusión sobre la «teoría crítica de la raza» y otras teorías críticas relacionadas con el origen étnico, el sexo, la identidad sexual y otros aspectos. Los principales protagonistas contemporáneos de la teoría crítica son más divulgadores y defensores políticos que intelectuales serios que aporten argumentos sólidos, y sus críticos de la derecha (la inmensa mayoría de los cuales no han leído ni una palabra de teoría crítica) son aún peores. La teoría crítica llevó a cabo una crítica seria y continua de los principios subyacentes del liberalismo, y es importante volver a los orígenes de la teoría. Las versiones más extremas de la teoría crítica pasaron de cuestionar la práctica liberal a criticar la esencia subyacente del liberalismo y a tratar de sustituirlo por una ideología iliberal alternativa. De nuevo, nos encontramos con que las ideas liberales se estiran hasta el punto de llegar a romperse.

Uno de los precursores de la teoría crítica fue Herbert Marcuse. Su libro de 1964 *El hombre unidimensional* y su ensayo «La tolerancia represiva» sirvieron de hoja de ruta para la teoría crítica posterior. Marcuse sostenía que, en realidad, las sociedades liberales no eran liberales y no protegían ni la igualdad ni la autonomía. En cambio, estaban controladas por élites capitalistas que crearon una cultura de consumo que llevaba a la gente corriente a cumplir sus reglas. La libertad era un espejismo del que solamente se saldría creando una sociedad radicalmente diferente:

> Y el problema de posibilitar semejante armonía entre la libertad individual y propia y la del otro no consiste en hallar un compromiso entre contrincantes o entre la libertad y la ley, entre los intereses generales y los particulares, entre la beneficencia pública y la privada en una sociedad establecida, sino en promover una sociedad en que el hombre no sea esclavo de instituciones que desde un principio aminoran ya la autodeterminación.[46]

46. Marcuse, Herbert, *El hombre unidimensional: ensayo sobre la ideología de la sociedad industrial avanzada*, traducción de Antonio Elorza, Ariel, Barcelona, 2010.

En la misma línea, la libertad de expresión no era un derecho absoluto; un discurso equivocado no debería tolerarse en caso de ser llevado a cabo por fuerzas represoras defensoras del *statu quo*.[47]

Marcuse sostenía, como muchos radicales de la Nueva Izquierda de la época, que la clase obrera tradicional había dejado de ser una fuerza potencialmente revolucionaria y que, por el contrario, se había convertido en contrarrevolucionaria; en la práctica, había sido comprada por el capitalismo. Continuaría escribiendo sobre la sexualidad como un factor de la lucha por la liberación humana.[48] Marcuse fue, por tanto, un puente crítico en la confluencia entre el progresismo del siglo XX y del siglo XXI que definía cada vez más la desigualdad, no en términos de amplias clases sociales, como burguesía y proletariado, sino en términos de grupos identitarios más reducidos, basados en la raza, el origen étnico, el sexo y la orientación sexual.

La crítica sistemática de los principios subyacentes del liberalismo tenía distintos componentes. Empezó con un rechazo de la premisa de la doctrina relativa al individualismo primordial. Al igual que Marcuse, los críticos progresistas argumentaban que, en las sociedades liberales existentes, los individuos no eran realmente capaces de llevar a cabo una elección individual. Los teóricos liberales, como Hobbes, Locke y Rousseau, y Rawls en su «postura original», planteaban individuos aislados en un estado de naturaleza que decidieron voluntariamente formar parte de un contrato social que dio origen a la sociedad civil. En palabras de John Christman:

> [...] lamentablemente, la filosofía política occidental —dominada por lo que se caracteriza de manera generalizada como la teoría liberal— da por sentado que el modelo de persona a utilizar en esos contextos es fundamentalmente *individualista*.

47. Marcuse, Herbert, *La tolerancia represiva y otros ensayos*, traducción de Justo Pérez *et al.*, ed. de César de Vicente Hernando, Los Libros de la Catarata, Madrid, 2010. Véase también Wolff, Robert Paul, *A critique of pure tolerance*, Beacon Press, Boston (Massachusetts), 1965.

48. Marcuse, Herbert, *Eros y civilización*, traducción de Juan García Ponce, Ariel, Barcelona, 2010.

> Además, la imagen que tiene el ciudadano de la forma de gobierno justa no incluye una referencia específica a las marcas de la identidad social, como la raza, el género, la sexualidad, la cultura, etcétera, a las que muchos individuos se referirían inmediatamente para describirse a sí mismos. La persona modelo en la tradición liberal se caracteriza sin conexiones esenciales con otros factores sociales pasados o presentes externos a «ella».[49]

Los primeros teóricos críticos, como Charles W. Mills, reprendieron a Rawls por redactar una teoría de la justicia que no consiguió abordar específicamente una de las principales fuentes históricas de injusticia, la dominación de una raza por otra.[50] Desde luego, se trataba de un rasgo de la metodología de Rawls, y no de un error, ya que su postura original requiere despojar a los individuos de todas las características «contingentes». Sin embargo, la flaqueza del sujeto autónomo resultante era un importante punto débil de la teoría. Mills, en este sentido, formaba parte de un subconjunto de los críticos «comunitaristas» de Rawls, los cuales sostenían que no había un individuo elector previo a los atributos específicos de dicho individuo, como lo son la raza, el sexo o la orientación sexual.

Asimismo, los críticos del liberalismo han afirmado que el individualismo es un concepto occidental que no concuerda con las tradiciones más comunes de otras culturas. Se ha sostenido que el individualismo nunca arraigó en Asia occidental, Asia del sur, Oriente Próximo y el África subsahariana del mismo modo que en Europa o América del Norte; así, la creencia liberal en el universalismo de los derechos humanos individuales revelaba un eurocentrismo prejuicioso.

Partiendo de esta crítica del individualismo primordial, los teóricos críticos pasaron a citar el fracaso del liberalismo a la

49. Christman, John, *The Politics of Persons: Individual Autonomy and Socio-Historical Selves*, Cambridge University Press, Cambridge (Massachusetts) y Nueva York, 2009, p. 2.

50. Mills, Charles W., *Black Rights/White Wrongs: The Critique of Racial Liberalism*, Oxford University Press, Nueva York, 2017, p. 139.

hora de reconocer la importancia de los grupos. La teoría liberal tendía a asumir que los individuos se organizarían en grupos, ya fuesen familias, empresas, partidos políticos, Iglesias o asociaciones de la sociedad civil, siempre de manera voluntaria. La teoría, según los críticos, no tenía en cuenta el hecho de que las sociedades del mundo real se organizan en grupos involuntarios en los cuales las personas se clasifican en función de características como la raza o el sexo sobre las que no tienen control. En palabras de Ann Cudd:

> Somos individuos que pertenecemos a grupos sociales, a algunos de los cuales hemos decidido pertenecer y a otros a los que pertenecemos tanto si lo decidimos como si no. No obstante, científicos sociales, filósofos y teóricos han enturbiado a menudo esta imagen de la vida social ignorando, reduciendo o negando uno de los grupos sociales o los dos.[51]

La tendencia liberal a creer que toda pertenencia a un grupo es voluntaria está integrada directamente en las teorías de la acción colectiva defendidas por los economistas neoclásicos, tal como se señala en el Capítulo 3: los grupos existen sólo para promover los intereses de sus miembros individuales. La teoría crítica, por el contrario, sostenía que los grupos más importantes eran producto del dominio de unos grupos sobre otros.

De esta observación derivó la acusación de que el liberalismo no había logrado otorgar autonomía suficiente a los grupos culturales y pretendía imponer una cultura enraizada en los valores europeos a diversas poblaciones que tenían otras tradiciones. Los grupos no se definen simplemente por su victimización, sino por las profundas tradiciones culturales que los unen. Por tanto, el pluralismo liberal debería reconocer no sólo la autonomía de los individuos, sino también la autonomía de los grupos culturales incluidos en una sociedad determinada. La autonomía cultural radica en la capacidad de un grupo para controlar la educa-

51. Cudd, Ann, *Analyzing oppression*, Oxford University Press, Nueva York, 2006, p. 34.

ción, el lenguaje, las costumbres y los relatos que definen cómo interpreta un grupo concreto sus orígenes y su identidad actual.

Una tercera crítica al liberalismo tenía que ver con su uso de la teoría contractual. Hobbes, Locke, Rousseau y Rawls se refieren explícitamente a un contrato social mediante el cual puede formarse una sociedad justa a través del acuerdo voluntario de sus miembros. Existen, por supuesto, variaciones entre ellos: Hobbes cree que los individuos pueden someterse voluntariamente a una monarquía, mientras que Locke cree que el contrato tiene que estar respaldado por el consentimiento explícito de los súbditos. No obstante, todos ellos asumen que las partes del contrato son individuos capaces de elegir.

En *El contrato sexual,* la escritora feminista Carole Pateman arremetió contra las premisas voluntaristas de la teoría liberal clásica. Señaló que muchos de los primeros teóricos contractuales creían en la legitimidad de un contrato de esclavitud: si un individuo débil tenía que decidir entre una vida de esclavitud o la muerte a manos de una persona más fuerte, podría elegir de forma voluntaria convertirse en un esclavo. El argumento de Carole Pateman se hacía eco de la crítica marxista del concepto de «trabajo gratuito» en las sociedades capitalistas: los contratos celebrados entre individuos con niveles de poder muy diferentes no eran justos por el simple hecho de ser aparentemente voluntarios. Señala que esto es especialmente aplicable a las relaciones sexuales. A John Locke, en sus *Tratados sobe el gobierno civil,* se le ha atribuido tradicionalmente el ataque a la teoría patriarcal de Robert Filmer, la cual basaba de manera explícita la autoridad monárquica en la autoridad del padre sobre su familia. Sin embargo, según sostiene Pateman, Locke separaba la sociedad política de la sociedad natural de la familia; la primera era voluntaria y consensual, mientras que la segunda seguía siendo natural y jerárquica. Afirma que la nueva sociedad política así formada sólo liberaba a los hijos:

> El derecho sexual o conyugal, el derecho político originario, queda entonces oculto por completo. El ocultamiento fue ejecutado con pulcritud, tanto que los teóricos y activistas políticos contemporá-

> neos han «olvidado» que la esfera privada también contiene —y tiene su origen en— una relación contractual entre dos adultos. No encontraron nada sorprendente en el hecho de que, en el patriarcado moderno, las mujeres, a diferencia de los hijos, nunca salgan de su estado de «inmadurez» y de la «protección» de los hombres; nunca interactuamos en la sociedad civil sobre las mismas bases que los hombres.[52]

Las mujeres eran excluidas del contrato y no podían incorporarse a la sociedad civil porque «naturalmente carecen de las capacidades que se requieren para ser individuos civiles».[53]

Charles Mills amplió esta crítica de la teoría contractual tanto a la raza como al sexo. La Constitución de Estados Unidos era un contrato explícito que establecía el nuevo país, pero se basaba en la exclusión de los afroamericanos de la nacionalidad y, a efectos del censo, se los consideraba expresamente como tres quintas partes de una persona. Mills argumentaba que, como en el caso del contrato sexual, esta exclusión se encontraba oculta en medio de la orgullosa veneración que los ciudadanos blancos de Estados Unidos expresaban por sus orígenes.[54]

Una cuarta crítica al liberalismo sostenía que la doctrina no podía disociarse de las formas más avariciosas del capitalismo y que, por tanto, continuaría generando explotación y desigualdades repugnantes. En los capítulos 2 y 3, he expuesto que el «neoliberalismo» era una interpretación particular del liberalismo económico predominante en Estados Unidos y otros países en un momento histórico determinado. Samuel Moyn, entre otros, sostiene que esta relación no era contingente, sino inevitable: el liberalismo, con su énfasis en el individualismo y en los derechos de propiedad, conduce inevitablemente al neoliberalismo.[55]

52. Pateman, Carole, *El contrato sexual*, Ménades Editorial, Madrid, 2019.

53. Ibídem (*The sexual contract*), p. 94.

54. Mills, Charles W., *The Racial Contract*, Cornell University Press, Ithaca (Nueva York), 1997. Véase también Pateman, Carole, y Charles W. Mills, *Contract and Domination*, Polity Press, Cambridge (Inglaterra), 2007.

55. Moyn, Samuel, «The Left's Due—and Responsibility», *American Purpose*, 24 de enero de 2021.

Los teóricos críticos atacaron el liberalismo por su estrecha vinculación con el colonialismo y la dominación europea de pueblos no blancos. La teoría poscolonial, tal como la exponen autores como Frantz Fanon, censuraba la actitud occidental de superioridad cultural que menospreciaba a los pueblos no occidentales y sus puntos de vista.[56] También vinculaba el colonialismo con el capitalismo. Los portugueses y, posteriormente, los británicos establecieron un sistema de comercio triangular a través del Atlántico Norte durante los siglos XVI y XVII, en el cual el azúcar, el ron y, posteriormente, el algodón eran intercambiados por bienes manufacturados y esclavos. El algodón, que constituyó una aportación decisiva para hacer posible la Revolución Industrial británica, era recolectado por esclavos negros en el sur de Estados Unidos.[57] Pankaj Mishra ha escrito acerca de cómo el liberalismo adquirió mala reputación en países colonizados como la India o Argelia, donde destacados liberales como John Stuart Mill o Alexis de Tocqueville estaban a favor de la dominación europea de otros pueblos. Según Mishra, los liberales occidentales creían en la universalidad de los valores liberales y en el modelo subyacente de los humanos como individuos autónomos solamente porque no eran conscientes de las muy distintas tradiciones y convicciones de los territorios conquistados.[58]

Una última crítica del liberalismo es más procedimental que sustantiva. Dado que las sociedades liberales limitan el poder mediante controles y contrapesos constitucionales, resulta muy difícil cambiar sus políticas o sus instituciones. Para que se produzca un cambio se requiere deliberación y persuasión, pero, en el mejor de los casos, son vehículos lentos y, en el mejor, obstáculos permanentes para corregir las injusticias existentes. Una socie-

56. Fanon, Frantz, *The Wretched of the Earth*, Grove Press, Nueva York, 2004.

57. Pomeranz, Kenneth, *The Great Divergence: China, Europe, and the Making of the Modern World Economy*, Princeton University Press, Princeton (Nueva Jersey), 2000.

58. Véase Mishra, Pankaj, «Bland Fanatics», en *Bland Fanatics: Liberals, Race, and Empire*, Farrar, Straus and Giroux, Nueva York, 2020.

dad justa requeriría una enorme y constante redistribución de la riqueza y el poder, a la que se opondrían ferozmente quienes los ostentan en la actualidad. De modo que el poder político tiene que ejercerse a expensas de esas instituciones de control y contrapeso.

Así, gran parte de la teoría crítica va mucho más allá de acusar al liberalismo de hipocresía y de no lograr estar a la altura de sus propios principios, llegando a condenar la propia esencia de la doctrina. Diferentes ramas de la teoría crítica recurren a variaciones sobre el argumento de Marcuse, según el cual regímenes ostensiblemente liberales no son, en realidad, liberales en absoluto, sino que reflejan los intereses de estructuras de poder ocultas que dominan y se benefician del *statu quo*. La asociación del liberalismo con diferentes élites dominantes, ya sean capitalistas, hombres, blancos o heterosexuales, no es un dato contingente de la historia; por el contrario, la dominación es esencial para la naturaleza del liberalismo, y también es la razón por la cual esos diferentes grupos defienden el liberalismo como ideología.

Sin embargo, tales críticas no consiguen dar en el blanco y equivalen a una declaración de culpabilidad por asociación. Cada una de las críticas al liberalismo mencionadas con anterioridad no logra mostrar en qué sentido la doctrina está equivocada en esencia. Pensemos, por ejemplo, en la acusación de que el liberalismo es demasiado individualista y que, históricamente, el liberalismo es una característica contingente de las sociedades europeas. En el Capítulo 3 he explicado cómo este cambio puede nivelarse de manera justa frente a la teoría económica neoclásica contemporánea, la cual reivindica la primacía del propio interés individual como una característica humana universal. No obstante, el hecho de que los seres humanos tengan tanto un lado social como un lado de individualismo egoísta en sus personalidades puede enmarcarse fácilmente en una concepción más amplia del liberalismo.

La sociabilidad humana adopta una enorme variedad de formas, a la práctica totalidad de las cuales se las permite florecer en las auténticas sociedades liberales. La vida privada asociativa ha aumentado enormemente a medida que las sociedades se han hecho más ricas y han podido dedicar más parte de su excedente a actividades sociales. Los Estados liberales modernos cuentan con densas redes de organizaciones o asociaciones civiles voluntarias que prestan servicios sociales y comunitarios y apoyo a sus miembros y a la comunidad política en sentido más amplio. El liberalismo impidió el crecimiento del Estado como centro neurálgico de la comunidad. Los estados de bienestar y las prestaciones sociales han aumentado enormemente desde finales del siglo XIX, hasta el punto de consumir casi la mitad del PIB en muchas democracias liberales.

De hecho, el liberalismo tenía raíces históricas en determinadas partes de Europa, raíces que provenían de casi un milenio antes de la aparición del liberalismo. Como he señalado en el Capítulo 3, fue consecuencia de una serie de normas introducidas por la Iglesia católica que prohibían el divorcio, el concubinato, la adopción y los matrimonios entre primos, las cuales hicieron que a las redes familiares amplias les resultara mucho más difícil retener sus propiedades a lo largo de las generaciones.

Con todo, el individualismo difícilmente puede considerarse una característica «blanca» o europea. Uno de los desafíos recurrentes de las sociedades humanas es la necesidad de ir más allá del parentesco como fuente de organización social y de crear maneras más impersonales de interacción social. Muchas sociedades no europeas han empleado diversas estrategias para reducir el poder de los grupos familiares, como el uso de eunucos en China y en el Imperio bizantino o como la práctica mameluco-otomana de formar como soldados y administradores a los esclavos capturados, los cuales eran seleccionados según su capacidad y a los cuales se les prohibía formar sus propias familias. La meritocracia era sólo otra estrategia eficaz para evitar tener necesariamente que contratar a tu sobrino o a tu hijo para un empleo para el cual era evidente que no eran aptos y poder así elegir al individuo más adecuado para realizar la tarea en cuestión.

Algunos partidarios de la autonomía cultural sugieren que

las habilidades de razonamiento cuantitativo y cualitativo evaluadas en la práctica mediante exámenes estandarizados presentan un sesgo cultural en contra de las minorías raciales. El hecho de que a algunos grupos raciales y étnicos les vaya, en conjunto, mejor que a otros en diversas actividades indica que, en efecto, la cultura es un importante factor determinante de los resultados. Sin embargo, la solución a este problema debería radicar en superar esos obstáculos culturales para triunfar, en lugar de en devaluar el criterio del éxito en sí mismo.

La opinión de que la meritocracia está relacionada de algún modo con la identidad blanca o el eurocentrismo refleja la estrechez de miras de la política identitaria contemporánea. La meritocracia y las oposiciones regladas están claramente enraizadas en otras culturas no occidentales. Las oposiciones se adoptaron en China porque los legisladores, bajo la presión de una intensa contienda militar, se dieron cuenta de que no podían contratar a funcionarios y administradores competentes sin ellas. Fueron utilizadas en el Estado chino de Qin antes de que dicha dinastía unificara China como imperio en el año 221 a. C., y se convirtieron en una característica habitual en la práctica totalidad de las dinastías chinas posteriores. De hecho, la preparación de jóvenes para unas oposiciones regladas es una de las tradiciones más arraigadas y antiguas de la cultura china, adoptada muchos siglos antes de que se convirtieran en la norma habitual en los Estados administrativos occidentales. Los gobernantes chinos se enfrentaban a unas condiciones estructurales y ambientales parecidas a las de sus homólogos modernos contemporáneos, e inventaron instituciones sociales comparables a pesar de su separación física y de sus diferencias culturales.

Así que, aunque el individualismo puede ser una consecuencia históricamente contingente de la civilización occidental, ha resultado ser muy atractivo para personas de culturas diferentes una vez conscientes de la libertad que proporciona. Además, la vida económica moderna depende de que los individuos se liberen de las ataduras restrictivas comunitarias que caracterizan a las sociedades tradicionales y, en los últimos años, millones de personas han tratado de huir de esos lugares a jurisdicciones que no sólo prometen mayores oportunidades económicas, sino también una mayor libertad personal.

En ese sentido, la acusación de que los Estados liberales no han conseguido reconocer a los grupos es, en líneas generales, errónea. Los Estados liberales reconocen y otorgan categoría legal y, en ocasiones, apoyo económico, a una amplia variedad de grupos. A lo que son más reticentes es a conceder derechos fundamentales a grupos involuntarios basados en características fijas como la raza, el origen étnico, el sexo o la cultura heredada. Existen buenas razones para esta reticencia: cada uno de esos grupos comprende una amplia variedad de individuos cuyos intereses e identidades pueden ser muy diferentes de los atribuidos al grupo en su conjunto. Existe, asimismo, un importante problema de representación: ¿quién habla en nombre de los afroamericanos, de las mujeres o de las personas gais como categoría?

La multiculturalidad puede ser una palabra relativamente neutra que describe simplemente la realidad de diversas sociedades en las que conviven personas con diferentes orígenes culturales. La autonomía individual conlleva a menudo la elección de identidad grupal, y las sociedades liberales tienen que proteger esa libertad. En sociedades liberales como Estados Unidos, Australia y Canadá, las grandes ciudades gozan de un amplio grado de diversidad cultural que añade riqueza e interés a la vida.

Sin embargo, algunos tipos de autonomía cultural no son congruentes con los principios liberales. Diversas comunidades de inmigrantes musulmanes discriminan a las mujeres, a los homosexuales y a quienes quieren abandonar la fe, de un modo que no respeta las normas liberales relativas a la autonomía individual. El caso típico es el de una familia musulmana que quiere obligar a su hija a contraer un matrimonio concertado contra su voluntad. En Europa, eso ha puesto al Estado en la tesitura de tener que decidir entre proteger los derechos comunitarios de la comunidad inmigrante o los derechos individuales de la mujer en cuestión. Aquí, parecería que una sociedad liberal no tiene más remedio que ponerse del lado de la mujer y restringir la autonomía del grupo.

La afirmación de que la teoría contractual no refleja los equilibrios de poder entre diferentes grupos sociales es bastante cierta, pero, una vez más, esos problemas han sido corregidos en las sociedades liberales a lo largo del tiempo. Sí que existió un contrato racial en la fundación de Estados Unidos, como queda patente en la cláusula de las tres quintas partes incluida en la Constitución estadounidense, según la cual las personas negras no eran cuantificadas como seres humanos completos. El documento era un contrato que representaba un acuerdo entre las partes que querían mantener la esclavitud y las que querían abolirla o, como mínimo, limitar su alcance. El problema moral de la esclavitud continuaría importunando a la política estadounidense, y, como señaló Lincoln en su segundo discurso inaugural, fue la causa subyacente de la guerra de Secesión. Las enmiendas a la Constitución, aprobadas con posterioridad a la guerra, cambiaron de manera fundamental la naturaleza del contrato. Tuvieron que pasar otros cien años para que aquel contrato cumpliese con los requisitos jurídicos, y los efectos persistentes del pecado original de la esclavitud continúan presentes. Algunos estudiosos contemporáneos de la teoría de la raza sostienen que este contrato racial continúa vigente y que las instituciones existentes siguen basándose en la supremacía blanca.[59] Sin embargo, ni el hecho ni la naturaleza del propio contrato son los impulsores de las desigualdades raciales actuales.

La acusación de que el liberalismo conduce de modo inevitable al neoliberalismo y a una forma explotadora de capitalismo ignora la historia de finales del siglo XIX y la del siglo XX. Durante esa época, los ingresos de la clase trabajadora aumentaron a lo largo de varias generaciones, y la desigualdad de ingresos, medida por los coeficientes de Gini, disminuyó hasta mediados del siglo XX. Casi todas las sociedades liberales avanzadas pusieron en práctica amplias medidas de protección social y establecie-

59. Coates, Ta-Nehisi, *Entre el mundo y yo*, traducción de Javier Calvo, Seix Barral, Barcelona, 2016.

ron derechos laborales desde finales del siglo XIX en adelante. Por sí solo, el liberalismo no es una doctrina de gobierno suficiente; tiene que ir acompañado de democracia, de manera que puedan realizarse correcciones políticas a las desigualdades provocadas por la economía de mercado. No hay razón para pensar que dichas correcciones no puedan llevarse a cabo en un marco político ampliamente liberal en el futuro.

La opinión de que el liberalismo y el capitalismo estaban de algún modo vinculadas de manera esencial con el colonialismo incurre en un error metodológico fundamental al tratar de agrupar acontecimientos complejos y multicausales en una única teoría monocausal. El azúcar y el algodón cultivados por esclavos desempeñaron en efecto un papel importante en el desarrollo económico de Gran Bretaña y Estados Unidos. Sin embargo, existe una amplísima bibliografía académica sobre por qué Occidente se desvinculó del resto del mundo en términos de desarrollo económico, gobierno democrático y poder militar: en este sentido, el clima, la geografía, la cultura, la estructura familiar y la pura suerte desempeñaron también un papel importante. El colonialismo y el racismo no explican por qué otras partes del mundo no occidental, como Asia oriental, lograron hacer algo parecido durante los últimos años del siglo XX y los primeros del XXI. Los primeros teóricos del capitalismo, como Adam Smith, se postularon de forma explícita en contra de la necesidad de la dominación colonial como una vía a la prosperidad, argumentando que el libre comercio era mucho más eficiente económicamente. Y, de hecho, el mundo en su conjunto se ha hecho mucho más rico tras el desmantelamiento de los imperios coloniales.

Esto ha llevado a los críticos a declarar que el liberalismo no ha hecho más que sustituir los tipos formales de dominación por otros informales; el libre comercio entre países con posiciones de poder muy diferentes no es realmente libre. A menudo se cita como ejemplo la aniquilación de la industria textil indígena de la India cuando ésta tuvo que afrontar la competencia de los artículos británicos en el siglo XIX. Con todo, ante casos como ése, tenemos que fijarnos en el auge de Asia oriental, que fue capaz de competir con el mundo occidental y que hoy día amenaza con superarlo en algunos sectores, debido precisamente al hecho de haber aceptado los términos de la economía liberal mundial. En la actualidad existe una enorme industria de desarrollo internacional, cuyas transferencias de recursos de países ricos a pobres han afianzado presupuestos estatales en el África subsahariana. Podría argumentarse que esos intentos no han tenido éxito en última instancia salvo en el campo de la salud pública, pero no son en absoluto equivalentes desde el punto de vista moral a los intentos por parte del rey Leopoldo I de Bélgica de despojar al Congo de sus recursos naturales.

La última acusación contra el liberalismo hace referencia a los controles y contrapesos que establecen los regímenes liberales en el ejercicio del poder, impidiendo que se produzca una redistribución del poder y la riqueza. La acusación está justificada hasta cierto punto. Un país autoritario como China podría hacer cambios radicales con rapidez, como cuando Deng Xiaoping abrió la economía a las fuerzas del mercado después de 1978. Un cambio así de rápido sería inconcebible en una república constitucional como Estados Unidos. En algunos sectores de la izquierda progresista contemporánea ha surgido un renovado interés por la obra de Carl Schmitt, el teórico del derecho de principios del siglo XX relacionado tradicionalmente con la derecha y que se posicionó a favor del ejercicio del poder ejecutivo discrecional.[60]

No obstante, las restricciones liberales al poder deberían contemplarse como una especie de póliza de seguros. Los controles y contrapesos tienen como finalidad evitar abusos de poder autocráticos. La ausencia de límites constitucionales en China no sólo posibilitó las reformas de Deng Xiaoping, sino también el desastroso Gran Salto Adelante y la Revolución Cultural de Mao. Actualmente, la falta de controles y contrapesos está facilitando la centralización de la dictadura de Xi Jinping. En Estados Unidos, los controles y contrapesos limitan la posi-

60. Véase Schmitt, Carl, *Teología política*, traducción de Francisco J. Conde y Jorge Navarro, Trotta, Madrid, 2009.

bilidad de que se produzca el tipo de reformas que desean hoy en día los jóvenes progresistas, pero también protegieron al país de los intentos de abuso de poder por parte de Donald Trump. Es del todo posible cambiar las normas institucionales de una democracia liberal para, por ejemplo, eliminar las tácticas dilatorias como obstáculo para aprobar leyes en el Congreso. He sostenido en otros foros que Estados Unidos se ha convertido en una «vetocracia» en la cual es extremadamente difícil tomar decisiones políticas debido al gran número de puntos de veto acumulados en el sistema político estadounidense. Sin embargo, la incapacidad de restringir el poder por completo es siempre una propuesta peligrosa, ya que no conocemos de antemano la identidad de quienes ostentarán el poder en el futuro.

Es cierto que, históricamente, las sociedades liberales colonizaron otras culturas, discriminaron a grupos por su raza y origen étnico dentro de sus propias fronteras y asignaron a las mujeres roles sociales subordinados. Sin embargo, decir que el racismo y el patriarcado son intrínsecos al liberalismo es simplificar fenómenos históricamente contingentes. El hecho de que los autodenominados «liberales» asumiesen ideas y políticas de actuación iliberales en el pasado no significa que la doctrina fuera incapaz de identificar y corregir esos errores, cosa que reconoce el propio teórico crítico de la raza Charles Mills.[61] De hecho, el propio liberalismo proporcionó la justificación teórica de sus autocorrecciones. Fue la idea liberal de que «todos los hombres son creados iguales» la que le permitió a Abraham Lincoln argumentar en contra de la justificación moral de la esclavitud antes de la guerra de Secesión, y fue esa misma idea la que motivó la ampliación de la plena nacionalidad a todas las personas de color durante la época del movimiento por los derechos civiles.

La última acusación al liberalismo por parte de los progresistas tiene que ver con los tipos de cognición estrechamente asociados con el liberalismo desde la Ilustración, que es la de

61. Véase Mills, *The Racial Contract*, *op. cit.*, p. 10.

la historia natural moderna. Es en este campo donde la amenaza al liberalismo es más acentuada en la actualidad, así que, a continuación, pasaremos a centrarnos en una serie más reducida de instituciones relacionadas con la cognición y la expresión.

6

La crítica de la racionalidad

Las teorías críticas ligadas a la política identitaria en Estados Unidos han generado una crítica que no se centra sólo en los principios liberales sino también en los tipos de discurso relacionados. Es en este ámbito donde están provocando su efecto más evidente. En sus versiones más extremas, esta crítica rechaza por completo la posibilidad del ideal liberal de un discurso racional. Esta corriente de pensamiento se extiende desde el estructuralismo y el posestructuralismo y la posmodernidad hasta llegar a las numerosas formas de la teoría crítica contemporánea. Al igual que las críticas al liberalismo apuntadas en el capítulo anterior, empieza con una serie de afirmaciones ciertas, pero, a continuación, se lleva a extremos insoportables. Durante el proceso, muchos de los argumentos planteados por la izquierda progresista se han desplazado a la derecha populista. Cuando se combina con la tecnología de comunicaciones moderna, esta crítica nos conduce a un páramo cognitivo en el cual, en palabras de Peter Pomerantsev, «nada es verdad y todo es posible».[62]

Desde sus inicios, el liberalismo moderno estuvo estrechamente asociado a un enfoque cognitivo característico, el de la

62. Pomerantsev, Peter, *Nothing is True and Everything is Possible: The Surreal Heart of the New Russia*, PublicAffairs, Nueva York, 2014.

ciencia natural moderna. Ese enfoque asume que existe una realidad objetiva fuera de la mente humana, la cual los seres humanos pueden entender poco a poco y, en última instancia, llegar a manipular. El origen de este enfoque se produjo con el filósofo René Descartes, quien empezó con el escepticismo más radical que se pueda imaginar y, de forma gradual, fue abriéndose paso hacia un sistema estructurado mediante el cual ser comprendido. Esa comprensión se basaría en la observación empírica y en el método experimental abanderados por Francis Bacon, que trataban de determinar la causalidad controlando la observación de eventos correlacionados. Es el método en el que se basa la ciencia natural moderna y que se enseña en la actualidad en cualquier curso de estadística básica. Así pues, el liberalismo se asoció claramente con el proyecto de dominar la naturaleza a través de la ciencia y la tecnología, utilizando estas últimas para moldear el mundo y hacer que se adapte a los objetivos humanos.

Las democracias modernas se enfrentan a una profunda crisis cognitiva. El sociólogo Max Weber distinguió entre hechos y valores, y argumentó que la racionalidad únicamente podía determinar los primeros. Aun cuando podamos no estar de acuerdo con una afirmación como «un embrión humano es moralmente equivalente a un bebé», sí podríamos estar de acuerdo en cuanto a la verdad o la falsedad de una afirmación como «está lloviendo fuera». Durante muchos años, las sociedades modernas han estado viviendo en el relativismo moral, el cual sostiene la subjetividad esencial de todos los sistemas de valores. De hecho, el liberalismo moderno se basaba en la premisa de que las personas no estarán de acuerdo en los objetivos últimos de la vida o en las visiones del bien. Sin embargo, la posmodernidad nos ha hecho avanzar desde el relativismo moral al epistémico o cognitivo, en el cual incluso la observación fáctica se considera subjetiva.

Jonathan Rauch señala que el enfoque en la verdad fáctica surgido de la Ilustración liberal se basa en la confianza en un sistema social que acata dos normas: que nadie tiene la última palabra y que el conocimiento tiene que basarse en pruebas empíricas y no en la autoridad del hablante.[63] A esto hay que añadirle una serie de técnicas que pretenden verificar planteamientos empíricos mediante el razonamiento inductivo, o bien falsearlos mediante la simple observación, al estilo de Karl Popper. Esas técnicas son conocidas colectivamente como el método científico. El conocimiento del mundo exterior es un proceso social acumulativo por medio del cual se aplica ese método. El proceso puede ser no concluyente, y sus conclusiones sólo son ciertas desde un punto de vista probabilístico. Sin embargo, eso no significa que algunas de nuestras creencias sobre cómo funciona el mundo más allá de nuestra conciencia colectiva no estén mejor asentadas que otras.[64]

El auge del método científico fue determinante en la lucha del liberalismo contra la religión arraigada. La Ilustración liberal se consideraba a sí misma como la victoria de la razón humana sobre la superstición y el oscurantismo. Aparte de la revelación divina, había una serie de métodos de cognición premodernos alternativos, como la lectura de señales y símbolos ocultos en la naturaleza o la exploración de la propia conciencia interior.[65] La ciencia natural moderna pudo, en última instancia, derrotar esos enfoques alternativos porque fue capaz de generar resultados repetidos. La manipulación de la naturaleza dio origen al mundo moderno, en el que el crecimiento continuo mediante los avances podía darse por sentado. Los enfoques científicos en el campo de la salud condujeron a un enorme aumento de la esperanza de vida; y la tecnología proporcionó a los Estados grandes avances militares que podían ser utilizados para la defensa o la con-

63. Rauch, Jonathan, *The Constitution of Knowledge: A Defense of Truth*, Brookings Institution Press, Washington, D. C., 2021.

64. Sokal, Alan D. y Alan Bricmont, *Fashionable nonsense: postmodern intellectuals' abuse of science*, Picador, Nueva York, 1999, Capítulo 4.

65. Adorno, Theodor W., y Max Horkheimer, *Dialéctica de la Ilustración: fragmentos filosóficos*, traducción de Joaquín Chamorro, Akal, Madrid, 2016; Foucault, Michel, *The Order of Things: An Archaeology of the Human Sciences*, Vintage Books, Nueva York, 1994 [1970]; versión castellana de Elsa Cecilia Frost, *Las palabras y las cosas: una arqueología de las ciencias humanas*, 4.ª ed., Siglo XXI de España, Madrid, 2006.

quista. La ciencia moderna, dicho de otro modo, estaba muy relacionada con el poder, simbolizado tal vez en su máxima expresión en la nube de hongo provocada por la explosión de Hiroshima en agosto de 1945.

Debido precisamente a su estrecha vinculación con las estructuras de poder existentes, la ciencia natural moderna generó una crítica prolongada que cuestionaba si su primacía estaba justificada o si realmente contribuía a la prosperidad humana.

El camino a la crítica de la ciencia natural moderna comenzó en un lugar improbable, en los escritos de un lingüista suizo de finales del siglo XIX llamado Ferdinand de Saussure. Saussure sostenía que las palabras no señalaban necesariamente una realidad objetiva más allá de la conciencia del hablante; en cambio, estaban unidas en una relación binaria de *signifiant* («significante») y *signifié* («significado»), en la cual el acto mismo de hablar era responsable de modelar la forma en que se percibía el mundo aparentemente exterior.[66] Los significantes estaban unidos en un sistema que reflejaba la conciencia de quienes utilizaban el lenguaje y, por consiguiente, diferían en función de la cultura.

Las ideas de Saussure fueron divulgadas durante las décadas de 1960 y 1970 por una serie de autores franceses entre los que se contaban el psicoanalista Jacques Lacan, el crítico literario Roland Barthes y el filósofo Jacques Derrida. Lo que eliminaron de Saussure fue la idea de subjetividad radical: el mundo exterior que creemos percibir está creado en realidad por las palabras que utilizamos para hablar de él. Aunque Derrida criticaba a Saussure, su deconstruccionismo pretendía demostrar que todos los escritores eran cómplices inconscientes de reflejar las estructuras sociales en que se enmarcaban.[67] No lees a Shakespeare o a Goethe para extraer la intención o la sabiduría del autor; por el contrario, expones cómo el propio autor revelaba sus propias inten-

66. Saussure, Ferdinand de, *Curso de lingüística general*, traducción de Mauro Armiño, Akal, Madrid, 2013.

67. Derrida, Jacques, *De la gramatología*, traducción de Oscar del Barco y Conrado Ceretti, Siglo XXI Editores Argentina, Buenos Aires, 1971.

ciones o cómo reflejaba las relaciones de poder injustas de su época. Saussure y el estructuralismo que se desprende de su obra no hacían generalizaciones acerca de la subjetividad esencial de todo el lenguaje; el deconstruccionismo sí. El último enfoque ofrecía una justificación intelectual para arremeter contra el canon occidental, el conjunto de libros fundamentales que van desde Homero y la Biblia hebrea hasta Marx y Freud que habían sido la base de innumerables cursos sobre civilización occidental en Estados Unidos y Europa.

El precursor de este planteamiento fue Friedrich Nietzsche, el cual sostenía que «no hay hechos, sólo interpretaciones». Sin embargo, el pensador que sistematizó esta línea de pensamiento y que influyó más poderosamente en las tendencias posteriores fue Michel Foucault. En una serie de libros brillantes, Foucault argumenta que el lenguaje de la ciencia natural se utilizaba para enmascarar el ejercicio del poder. La definición de locura y enfermedad mental, el recurso al encarcelamiento para castigar determinadas formas de conducta, las clasificaciones médicas de desviaciones sexuales y otras prácticas no estaban basadas en la observación empírica neutral de una realidad determinada. En cambio, reflejaban los intereses de estructuras más amplias de poder que querían subordinar y controlar a diferentes clases de personas.[68] El lenguaje supuestamente objetivo de la ciencia natural moderna codificaba esos intereses de maneras que ocultaban la influencia de quien ostentaba el poder; de ese modo, las personas eran manipuladas inconscientemente para ratificar la primacía de determinadas ideas y de los grupos que las respaldaban.

Con Foucault, el deconstruccionismo evolucionó en posmodernidad, una crítica más general de los modos cognitivos que habían estado relacionados durante siglos con el liberalismo clá-

68. Foucault, Michel, *Historia de la locura en la época clásica*, traducción de Juan José Utrilla, Fondo de Cultura Económica, Madrid, 2000; *Vigilar y castigar*, traducción de Aurelio Garzón, Biblioteca Nueva, Madrid, 2012; *Historia de la sexualidad I: la voluntad de saber*, traducción de Ulises Guinazú, Siglo XXI de España, Madrid, 2019.

sico. Estas críticas se incorporaron con facilidad a las diferentes variedades de la teoría crítica que proliferaron en el ámbito académico de Estados Unidos a partir de la década de 1980, y se utilizaron como método para combatir las estructuras de poder de la época basadas en la raza y el sexo. En su libro *Orientalismo*, de 1978, Edward Said recurrió explícitamente a la teoría del poder y el lenguaje de Foucault para rebatir los planteamientos académicos predominantes de los estudios interculturales, estableciendo las bases para teóricos poscoloniales posteriores que han rechazado la posibilidad de un conocimiento «objetivo» no condicionado por la identidad del generador del conocimiento.[69] Estados Unidos tenía una larga historia de jerarquía racial e injusticia que impregnaba prácticamente todas las instituciones, y la posmodernidad proporcionó un marco preparado para entender esos temas. El lenguaje y las relaciones de poder que codificaba seguían siendo una parte central de esta crítica: el adjetivo *estadounidense*, por ejemplo, estaba cargado por lo común de numerosas ideas preconcebidas acerca de la raza, el sexo y las tendencias culturales del sujeto. Los debates contemporáneos sobre el género no son más que la última manifestación de la sensibilidad de los grupos identitarios ante la forma en que el lenguaje refuerza de manera sutil y a menudo inconsciente las relaciones de poder.

La concepción del lenguaje de Foucault como un instrumento de poder, y no como una vía neutral hacia el conocimiento objetivo, explica de algún modo la extrema sensibilidad ante la simple expresión de palabras por parte de las personas que han asimilado sus ideas. Hoy en día, en muchos campus universitarios e instituciones culturales de élite, las personas se quejan de que la simple utilización de determinadas palabras, tanto en el lenguaje oral como en el escrito, constituye una forma de violencia y hace que se sientan «inseguras» y sometidas a estrés traumático. Cualquiera que haya experimentado la violencia real sabrá que existe una gran diferencia entre el hecho de que te golpeen en la cara y oír ciertas palabras desagradables. Sin embargo, se-

69. Said, Edward, *Orientalismo*, traducción de C. Pera, María L. Fuentes y E. Benito, Debate, Barcelona, 2016.

gún la lógica de Foucault, las propias palabras son expresiones de poder y, según afirma, ese poder puede hacer que las personas se sientan inseguras físicamente.

En el centro del proyecto liberal está presente una hipótesis relativa a la igualdad humana: que, cuando eliminas la costumbre y el bagaje cultural acumulado que acarreamos todos, hay un núcleo moral subyacente que comparten todos los seres humanos y que pueden reconocer los unos en los otros. Es este reconocimiento mutuo lo que hace posible el debate democrático y la elección.

Esta idea básica ha sido objeto de ataques con el aumento de la concienciación acerca de las complejidades de la identidad. Los individuos no son los agentes autónomos de la teoría liberal; están moldeados por unas fuerzas sociales más amplias sobre las cuales carecen de control. La «experiencia vivida» de diferentes grupos, y en particular la de aquellos que han sido marginados por la sociedad dominante, no es percibida por quienes se encuentran en esa sociedad dominante, y no puede ser compartida por otros con historias vitales diferentes. La interseccionalidad es un reconocimiento del hecho de que existen diferentes formas de marginación y que su intersección crea nuevas formas de prejuicios e injusticia. Se trata de algo entendido en primer lugar por las personas que ocupan en efecto dichas intersecciones, y no por las comunidades en sentido amplio.[70] Más en general, el conocimiento del mundo no es como una serie de datos empíricos que cualquier observador pueda recoger y utilizar sencillamente. El conocimiento se enmarca en las experiencias vitales: el hecho de saber no es un acto cognitivo abstracto, sino que está íntimamente ligado con hacer, actuar y ser sujeto pasivo de actuaciones.

Es imposible rechazar de manera sencilla muchas de estas ideas, porque parten de observaciones indudablemente ciertas. Ideas que han sido planteadas como conclusiones neutrales apro-

70. Crenshaw, Kimberle, «Mapping the Margins: Intersectionality, Identity Politics, and Violence Against Women of Color», *Stanford Law Review*, 43 (1991), pp. 1241-1299.

badas científicamente han reflejado en realidad los intereses y el poder de quienes las expresan.

Por ejemplo, el biólogo evolutivo Joseph Heinrich ha escrito acerca de cómo los científicos sociales que estudian el comportamiento humano han utilizado lo que denomina «personas WEIRD» como sujetos observacionales o experimentales: personas occidentales, educadas, industrializadas, ricas y democráticas (WEIRD, por sus siglas en inglés). Esta investigación pretende describir características humanas universales, pero, de hecho, según sostiene Heinrich, refleja una conducta y unas actitudes determinadas en función de la cultura respecto a temas como el parentesco, el individualismo, la responsabilidad y el gobierno. Resulta que las personas WEIRD son atípicas cuando se analiza el comportamiento humano mundial de una forma más general.[71]

De modo parecido, todo el proyecto de la economía neoclásica se ha presentado como una aplicación neutral del método científico al estudio de las ciencias económicas. Sin embargo, la disciplina ha reflejado también las relaciones de poder en la sociedad subyacente, especialmente durante su fase neoliberal, tal como se ha descrito en los capítulos anteriores. Entre los científicos sociales, los economistas son los que han llegado más lejos al tratar de formalizar sus teorías en modelos matemáticos abstractos y desarrollar una metodología empírica rigurosa para validarlos. A menudo se dice de ellos que sufren «envidia de la física», ya que esperan que su ciencia se equipare a las ciencias naturales más abstractas y matematizadas.

Esto no impidió que las ciencias económicas fueran presa de la atracción del poder y del dinero. La desregulación, la defensa estricta de los derechos de propiedad y la privatización fueron promovidas por compañías e individuos ricos que crearon comités estratégicos y contrataron a economistas de renombre para que redactaran artículos académicos justificando políticas en su propio interés. No pretendemos acusar a la inmensa mayoría de

71. Heinrich, Joseph, *The WEIRDest People in the World: How the West Became Psychologically Peculiar and Particularly Prosperous*, Farrar, Straus and Giroux, Nueva York, 2020.

los economistas de corrupción descarada, si bien es posible que ese haya sido el caso en determinadas circunstancias. Por el contrario, es un tema de lo que se denomina «captura intelectual»: cuando has recibido una formación determinada y todos tus colegas sostienen el mismo conjunto de creencias, tiendes también a aceptar ese marco y a defenderlo de manera absolutamente sincera. Tampoco fue perjudicial para la defensa de esas posturas el hecho de recibir honorarios de consultoría y ser invitados a congresos en agradables centros turísticos.

Muchas de las críticas de la ciencia natural moderna y de los enfoques cognitivos asociados con el liberalismo clásico estaban, por tanto, justificados. Sin embargo, muchas versiones de la teoría crítica fueron mucho más allá de ataques a aplicaciones incorrectas concretas, hasta una crítica más amplia de la ciencia tal como había evolucionado desde la Ilustración. Argumentaba que la búsqueda de universales humanos que es esencial al liberalismo era simplemente un ejercicio del poder marcado por el racismo y el patriarcado, y que trataba de imponer las ideas de una civilización en concreto al resto del mundo. Nadie podía situarse por encima de la identidad con la que nació, ni adoptar una perspectiva transversal a diferentes grupos identitarios. La escritora feminista Luce Irigaray, por ejemplo, sostenía que, en el ámbito de la física, la mecánica de sólidos era una forma masculina de ver el mundo, mientras que la mecánica de fluidos era femenina.[72] En lugar de aspirar a acumular un amplio conjunto de conocimientos sobre el mundo exterior mediante una cuidadosa observación y deliberación, la teoría crítica afirmaba la existencia de un subjetivismo radical que basaba el conocimiento en la experiencia y en las emociones vividas.

La crítica de la ciencia de Foucault llevaba incorporado también un elemento de teoría conspirativa. Sostenía que la naturaleza del poder había cambiado en el mundo moderno. En su día fue un atributo utilizado abiertamente por los monarcas, los cuales podían ordenar la muerte de cualquiera de sus súbditos por

72. Irigaray, Luce, «Le Sujet de la science est-il sexue?», *Hypatia*, 2 (1987), pp. 65-87.

desobedecer una orden. El poder moderno se ejercía de una manera más sutil; diseñaba las instituciones y el lenguaje utilizado para regular la vida social y referirse a ella, lo que denominaba «biopoder».[73] En sus escritos posteriores, Foucault sostiene que el poder impregnaba prácticamente todas las actividades, hasta el punto de que, según los críticos, su concepto quedaba desprovisto de cualquier capacidad explicativa real.[74] No obstante, esto proporcionó un argumento que teóricos críticos posteriores pudieron utilizar para explicar cómo, supuestamente, la ciencia objetiva estaba sirviendo de verdad a los intereses de grupos específicos de la élite: europeos blancos, hombres, personas «heteronormativas», etcétera.

La posmodernidad y sus derivados de la teoría crítica llevan presentes mucho tiempo, y han sido objeto de críticas e incluso de burlas. Una serie de personas que trabajan en este campo, empezando por posestructuralistas como Lacan y Derrida, escribieron de una forma que parecía ofuscar deliberadamente su pensamiento e impedir su responsabilidad por sus contradicciones y los puntos débiles de su lógica.[75] Parecía una preocupación esotérica limitada a determinados departamentos académicos, pero ha continuado proporcionando un marco en el cual los progresistas pueden interpretar el mundo. El asesinato de George Floyd en mayo de 2020 provocó una enorme oleada de justificada rabia y de protestas a lo largo y ancho de Estados Unidos contra la violencia policial. Con todo, dio origen también a una bibliografía antirracista que se hace eco de muchas críticas anteriores.[76] Desde este punto de vista, el racismo no se considera un atributo de los individuos ni un problema político que hay que resolver. De lo

73. Véase Foucault, Michel, «Right of Death and Power over Life», en *The Foucault Reader*, Pantheon Books, Nueva York, 1984.

74. Rodgers, Daniel T., *Age of Fracture*, Belknap/Harvard University Press, 2011, Cambridge (Massachusetts), pp. 102-107.

75. Véase Sokal y Bricmont, *Fashionable nonsense*, *op. cit.*, para numerosos ejemplos.

76. Kendi, Ibram X., *How to Be an Antiracist*, One World, Londres, 2019; DiAngelo, Robin, *White Fragility: Why It's So Hard for White People to Talk about Racism*, Beacon Press, Boston (Massachusetts), 2020.

que se trata es de una condición que se considera que impregna todas las instituciones y la conciencia de Estados Unidos. Al igual que el biopoder de Foucault, refleja una estructura subyacente de poder de supremacía blanca que se encuentra incorporada en el lenguaje y que se oculta incluso a las personas progresistas que se consideran antirracistas.

La crítica posmoderna del liberalismo y sus métodos cognitivos asociados se ha escorado a la derecha. En la actualidad, los grupos nacionalistas blancos se consideran a sí mismos miembros de un grupo identitario acosado. Durante la epidemia de la COVID-19, un grupo mucho más amplio de conservadores de todo el mundo utilizó la misma crítica conspirativa de la ciencia natural moderna que habían planteado la teoría crítica y la izquierda. Han generado una imagen especular del biopoder de Foucault, argumentando que la infraestructura sanitaria pública que recomendaba distancia social, uso de mascarilla y confinamientos no obedecía a razones científicas «objetivas», sino que estaba motivada por razones políticas ocultas.[77] El argumento de la derecha fue mucho más allá, tratando de erosionar la confianza en la credibilidad de los científicos en general y en las instituciones que utilizaban la ciencia. Es altamente improbable que los conservadores contemporáneos, empezando por Donald Trump, hayan leído una sola palabra sobre la teoría posmoderna de la que abominan, pero numerosos intelectuales atraídos por ese movimiento, como Andrew Breitbart y Peter Thiel, sí que lo han hecho. Simplemente, han aplicado lo que empezó como una crítica al establecimiento y ha llevado al actual dominio por parte de los progresistas de instituciones supuestamente neutrales como el mundo académico y los medios de comunicación generalistas.[78]

La subversión del liberalismo clásico y de sus tipos de cognición asociados por parte de grupos identitarios progresistas se llevó a cabo asumiendo que beneficiaría a grupos históricamente

77. Douthat, Ross, «How Michel Foucault Lost the Left and Won the Right», *The New York Times*, 25 de mayo de 2021.

78. Véase Shullenberger, Geoff, «Theorycells in Trumpworld», *Outsider Theory*, 5 de enero de 2021.

marginados por las instituciones liberales. De ese modo, a dichos grupos se les otorgaría dignidad y un trato igualitario tal como prometía pero nunca cumplía el liberalismo.

En este sentido, Friedrich Nietzsche profetizó los posibles impactos del destronamiento de la racionalidad liberal de manera mucho más sincera y certera que sus seguidores de la teoría crítica de principios del siglo XXI. Argumentó que el liberalismo moderno se basaba en una serie de premisas sostenidas en última instancia por la moral cristiana. El Dios cristiano había vivido en su día, pero ahora que Dios estaba muerto, se abría la puerta a la transvaloración de todos los valores, incluyendo el de la igualdad. Nietzsche describió el cristianismo como una religión de esclavos, y elogió a la «bestia rubia» que había sido amansada y domesticada por él. El principio según el cual los débiles deberían recibir el mismo trato que los fuertes no tenía más validez que el principio de que los fuertes deberían gobernar a los débiles. De hecho, la única medida universal de valor que queda es el poder y la «voluntad de poder» que atraviesa todas las actividades humanas. Traducido a términos posmodernos, si Michel Foucault sostiene que el método científico codifica el poder y los intereses de élites ocultas, hay que preguntarse qué programa de poder oculto impulsa al propio Michel Foucault. Si no hay más valores realmente universales que el poder, ¿por qué habría alguien de querer aceptar el empoderamiento de cualquier grupo marginal que no haría más que sustituir una expresión de poder por otra? Ése es precisamente el argumento adoptado hoy en día por grupos extremistas de derechas en Estados Unidos, los cuales manifiestan abiertamente sus temores a ser «reemplazados» por personas de otras etnias. Se trata de un temor sumamente exagerado, pero se vuelve plausible si dejamos de lado la premisa de que cualquiera, con independencia de la raza, el origen étnico o el género, puede formar parte en un plano de igualdad de una identidad liberal más amplia. Esos grupos extremistas no están luchando por preservar un orden liberal; están luchando por preservar su poder en una lucha de suma cero con otros grupos étnicos.

Si bien las sociedades liberales coinciden en discrepar sobre los objetivos finales, no pueden sobrevivir si no son capaces de establecer una jerarquía de verdades fácticas. Esta jerarquía es creada por élites de distintos tipos, las cuales actúan independientemente de aquellos que ostentan el poder político. Los tribunales estadounidenses están autorizados para desestimar demandas que no estén basadas de buena fe en fundamentos de hecho y derecho, y pueden sancionar a los abogados que les mientan. Las publicaciones científicas no publicarán estudios que no hayan sido revisados por pares y rechazarán los que se demuestre que son fraudulentos o que están basados en pruebas no concluyentes. Los periodistas responsables disponen de sistemas para verificar los hechos, y los medios de comunicación se retractarán de los artículos que resulten erróneos o induzcan a error. Ninguno de esos sistemas es infalible, y todos pueden resultar tendenciosos. Sin embargo, no están orquestados de forma deliberada por las élites que los supervisan para privar de poder o manipular a la gente corriente.

Existen dos versiones de la política identitaria moderna. Una versión considera el impulso identitario como la culminación de la política liberal: las élites históricamente dominantes no consiguen apreciar las dificultades específicas de grupos marginados y, por tanto, no reconocen su humanidad común subyacente. El objetivo de esta política identitaria es conseguir la aceptación y un trato igualitario de los miembros del grupo marginado como individuos, bajo la presunción liberal de una humanidad compartida subyacente.

La otra versión de la política identitaria considera las experiencias vitales de diferentes grupos como fundamentalmente incompatibles; rechaza la posibilidad de que existan modos de cognición universalmente válidos; y eleva el valor de la experiencia grupal por encima de lo que diversos individuos tienen en común. Esta concepción de la identidad en el tiempo se fusiona de manera nítida con un nacionalismo histórico asociado por lo general con la derecha. El nacionalismo se originó a principios del siglo XIX como una reacción en contra de las reivindicaciones universalizadoras del liberalismo. Los nacionalistas argumentaban que cada nación tenía su propia historia y sus propias tradiciones culturales, las cuales tenían que preservarse y mantenerse frente a una política liberal que se limitaba a reconocer a las personas como individuos informes. Los románticos alemanes, por ejemplo, rechazaban el enfoque científico y empírico de los liberales ingleses y, en cambio, abogaban por la verdad construida en torno al sentimiento y la intuición.

Todo esto no indica que la política identitaria sea errónea, sino que tenemos que retomar una interpretación liberal de sus objetivos. El liberalismo, con su premisa de la igualdad humana universal, tiene que ser el marco en el cual los grupos identitarios deberían luchar por sus derechos.

7

Tecnología, privacidad y libertad de expresión

Uno de los principios fundamentales del liberalismo hace referencia a la protección de la libertad de expresión. Esta protección se recoge en la primera enmienda de la Carta de Derechos de Estados Unidos y ha sido consagrada en las leyes fundamentales de muchas democracias liberales, así como en la Declaración Universal de los Derechos Humanos. La expresión tiene un valor moral intrínseco como centro neurálgico del pensamiento y la elección, así como el valor práctico de permitir que los seres humanos se comuniquen de maneras complejas que no están al alcance de ninguna otra especie. La expresión es necesaria para la creación de instituciones que hagan posible la coordinación y la cooperación a lo largo del tiempo y a una escala gigantesca. La libertad de expresión implica libertad de pensamiento, y es la base de todo el resto de las libertades que los regímenes liberales aspiran a proteger.

Como parte del ataque más general al liberalismo, la libertad de expresión ha sido impugnada tanto por la derecha como por la izquierda. Asimismo, ha sido cuestionada duramente por los cambios tecnológicos que proporcionan canales nuevos y no probados a través de los cuales las sociedades pueden comunicarse.

Existen dos principios normativos que respaldan la libertad de expresión en una sociedad liberal. El primero tiene que ver con la necesidad de evitar concentraciones artificiales de poder por encima de la expresión. El segundo, menos evidente, pero igualmente necesario, es la necesidad de que tanto el gobierno como los ciudadanos respeten un ámbito de privacidad que rodea a cada uno de los miembros de la sociedad. Este ámbito puede definirse en términos de un derecho fundamental, como sucede en Europa, pero se entiende mejor como una norma que como un derecho reivindicable legalmente, ya que debería influir en el comportamiento particular de los ciudadanos entre sí y considerarse una extensión de la virtud de la tolerancia. Ambos principios se han visto amenazados por el cambio tecnológico en la forma de comunicarnos hoy día, así como por otros acontecimientos sociales, como la polarización política.

En la actualidad, el poder sobre la expresión se ha concentrado de diferentes formas. La primera es la forma inmemorial propia de los gobiernos autoritarios, o aspirantes a autoritarios, en países supuestamente democráticos, tratando de monopolizar y controlar la expresión. El liberalismo clásico desconfía sobremanera de este tipo de poder por parte del Estado, y, de hecho, la expresión es por lo común el primer objetivo de cualquier régimen autoritario. El actual Partido Comunista de China ejerce un control cada vez más férreo, tanto sobre los medios de comunicación tradicionales como sobre internet; y la Rusia de Vladímir Putin ha puesto todos los grandes canales de los medios de comunicación más importantes bajo su control o bajo el control de sus compinches. Internet ha facilitado la vigilancia a una escala inimaginable mediante el rastreo y los sensores que se han vuelto omnipresentes en nuestra vida cotidiana. El sistema de crédito social de China combina la vigilancia con la minería de datos a gran escala y la inteligencia artificial, lo cual permite al gobierno controlar los pensamientos y comportamientos, tanto grandes como pequeños, de sus ciudadanos.

La segunda amenaza no procede de los gobiernos, sino del control *privado* de los medios de comunicación tradicionales, como la llevada a cabo por el ex primer ministro italiano Silvio Berlusconi. Berlusconi se convirtió en un rico oligarca gracias a que ostentaba la propiedad de un enorme imperio mediático,

Mediaset, el cual contaba con numerosas propiedades en el mundo editorial, la prensa, la radio y la televisión. Este control le permitió convertirse en una celebridad por méritos propios, cosa que aprovechó para llegar a ser primer ministro a principios de la década de 1990, justo cuando el orden político italiano posterior a la Segunda Guerra Mundial se estaba desplomando con la desaparición de los partidos socialista y democristiano. Una vez en el poder, Berlusconi pudo utilizar su recién adquirida influencia política para salvaguardar sus intereses comerciales y protegerse frente a la responsabilidad penal.

El éxito de Berlusconi a la hora de combinar los medios de comunicación con el poder político ha sido ampliamente imitado desde entonces. A pesar de no ser un magnate de los medios, Vladímir Putin fue enseguida consciente de la importancia de colocar los canales de los medios de comunicación privados bajo su control o bajo el control de sus camaradas. Durante el proceso, él mismo se convirtió en uno de los hombres más ricos de Rusia, por no decir del mundo. De manera parecida, Viktor Orbán, en Hungría, y Recep Tayyip Erdoğan, en Turquía, utilizaron su control personal sobre los medios de comunicación para afianzar su poder político y su riqueza familiar. Con el auge de internet a finales de la década de 1990, los medios de comunicación tradicionales perdieron atractivo como inversión, y muchos de ellos fueron adquiridos por oligarcas locales para quienes no se trataba tanto de iniciativas empresariales atractivas como de vías de acceso a la política.[79] El país en el que el control oligárquico de los medios de comunicación tradicionales ha llegado más lejos es Ucrania, donde prácticamente todas las principales cadenas de radio y televisión están controladas por siete oligarcas.

79. En la República Checa, el multimillonario primer ministro Andrej Babiš se convirtió en el propietario de la mayor editorial del país y de otros medios de comunicación. En Rumanía, la más importante cadena informativa de televisión era propiedad del multimillonario Dan Voiculescu; mientras que el principal periódico independiente de Eslovaquia fue vendido a un grupo de inversiones que había sido objeto de investigación por parte de éste. Véase Rick Lyman, «Oligarchs of Eastern Europe scoop up stakes in media companies», *The New York Times*, 26 de noviembre de 2014.

La tercera gran amenaza a la libertad de expresión procede, paradójicamente, del volumen de expresión que ha hecho posible internet. Cuando internet se puso en marcha en la década de 1990 como un canal público de comunicaciones, existía la creencia generalizada de que tendría un efecto profundamente democratizador y que el mayor acceso a la información distribuiría el poder de manera más general. Internet permitiría que todo el mundo se convirtiera en su propio editor, sorteando a los guardianes de los medios de comunicación tradicionales: editoriales, editores, compañías de comunicaciones y gobiernos. Internet permitió también movilizaciones populares y facilitó enormemente los levantamientos contra regímenes autoritarios o corruptos en Ucrania, Georgia e Irán, así como los que tuvieron lugar durante la Primavera Árabe. Permitió que individuos aislados que sufrían abusos o persecución se encontraran unos con otros a pesar de las limitaciones geográficas y que se organizaran para llevar a cabo acciones colectivas.

Sin embargo, como señala Martin Gurri, el nuevo universo de información, en el que los medios digitales se combinaban con los medios de comunicación tradicionales, empezó a abrumar a todo el mundo con más información de la que tenían anteriormente o de la que podían entender. Con el tiempo, se hizo evidente que gran parte de esa información era de mala calidad, falsa o, en ocasiones, utilizada deliberadamente como arma para conseguir objetivos políticos concretos. Si bien algunos individuos empoderados, como Wael Ghonim en Egipto, pudieron contribuir a derrocar una dictadura árabe, otros pudieron difundir sin ayuda de nadie información falsa sobre vacunas o fraude electoral. El efecto acumulativo de esta explosión de información era socavar la autoridad de las jerarquías existentes —gobiernos, partidos políticos, compañías de comunicación, etcétera— que anteriormente habían constituido los estrechos canales a través de los cuales se suministraba la información.[80]

La teoría clásica de la primera enmienda de Estados Unidos

80. Gurri, Martin, *The Revolt of the Public and the Crisis of Authority in the New Millennium*, Stripe Press, San Francisco (California), 2018.

pretende limitar únicamente la primera de esas fuentes de concentración de poder sobre la expresión: el gobierno. A falta de control estatal, se da por supuesto que habrá un mercado de voces y que, con el tiempo, la información buena desplazará a la mala en un proceso de deliberación democrática. Una idea parecida subyace en el concepto europeo de libertad de expresión, como la prioridad que otorga Jürgen Habermas a la «esfera pública» en la teoría democrática. Como cualquier mercado de productos, un mercado de ideas funciona mejor si es grande, descentralizado y competitivo.

La teoría clásica presenta problemas graves. En primer lugar, no todas las voces del debate democrático son en realidad iguales unas a otras. La «constitución de conocimiento» del método científico es descentralizada, abierta y no depende de una única fuente de autoridad para verificar sus conclusiones. Sin embargo, en este sistema, el conocimiento se acumula, basándose en la observación empírica apoyada en una metodología racional para establecer relaciones causales. Su función depende de una amplia preferencia normativa por el rigor empírico. Las anécdotas que una persona pueda mencionar sobre los efectos de un tratamiento médico concreto en sus familiares no deberían tener la misma consideración que un estudio científico que exponga los resultados de un ensayo aleatorio a gran escala. Un bloguero partidista que exprese la opinión de que un político es corrupto no debería tener el mismo peso que un periodista de investigación que ha dedicado seis meses a examinar minuciosamente los informes financieros de dicho político. No obstante, internet hace que esas opiniones alternativas parezcan igualmente creíbles.

La idea de que existe una jerarquía informativa está incorporada en los sistemas legales modernos. Al condenar a una persona acusada de un delito «más allá de cualquier duda razonable» (como establece la jurisprudencia de Estados Unidos), los tribunales tratarán siempre de limitar el impacto de los rumores; por ejemplo, que algo se haya afirmado en internet no es suficiente para ser considerado una prueba admisible legalmente. El periodismo profesional impone también una jerarquía informativa, exigiendo fuentes verificables y transparencia en cuanto a ellas.

Esto se convierte en un problema grave, ya que las grandes plataformas de internet operan según un modelo de negocio que prioriza la viralidad y el sensacionalismo por encima de cualquier tipo de verificación cuidadosa de la información. Una historia escabrosa y falsa puede propagarse a través de esas plataformas digitales a una velocidad y a una escala impensables para cualquier medio de comunicación tradicional. Las economías de red a gran escala (es decir, el hecho de que las redes resulten más valiosas para sus usuarios cuanto más grandes sean) garantizan que el poder de divulgar o suprimir información se pueda concentrar en manos de dos o tres plataformas de internet gigantescas. En lugar de dispersar el poder, la internet actual lo ha concentrado.

El modelo estándar de cognición humana que subyace a la Ilustración liberal sostiene que los seres humanos son racionales: observan una realidad empírica externa a ellos mismos, hacen deducciones causales sobre dichas observaciones y, a continuación, son capaces de actuar en el mundo basándose en las teorías que han desarrollado. Jonathan Haidt y otros psicólogos sociales han planteado que, en la práctica, muchas personas siguen un modelo cognitivo muy distinto.[81] No parten de ninguna clase de observación neutral de la realidad empírica. Por el contrario, parten de marcadas preferencias en cuanto a la realidad que desean y utilizan sus notables habilidades cognitivas para seleccionar datos empíricos y elaborar teorías que respalden esa realidad en un proceso denominado «razonamiento motivado».

Las plataformas de internet han utilizado profusamente el razonamiento motivado. Poseen montañas de datos sobre las preferencias de sus usuarios, lo cual les permite orientar su contenido de maneras muy precisas para maximizar las interacciones de esos usuarios con ellas. Nadie obliga a los usuarios a comportarse de este modo; les parece que se trata de una elección voluntaria, pero en realidad se basa en una sofisticada manipu-

81. Haidt, Jonathan, *La mente de los justos: por qué la política y la religión dividen a la gente sensata*, traducción de Antonio García Maldonado, Deusto, Barcelona, 2019.

lación entre bastidores por parte de las plataformas. En lugar de contribuir a un proceso social en el que se examine, asimile y debata información nueva y diversa, las plataformas tienden a reforzar las creencias y preferencias existentes. Esto no lo hacen como consecuencia de una motivación política directa, sino para mejorar sus propios resultados y, en el proceso, socavar el correcto funcionamiento de la deliberación democrática.

El segundo principio que debería regir la expresión en una sociedad liberal es la necesidad, tanto por parte del gobierno como de los ciudadanos, de respetar un ámbito de privacidad que rodea a cada miembro de la sociedad. En Europa, la privacidad se ha incorporado a las leyes fundamentales de muchos países, y en el conjunto de la Unión Europea se trata de un derecho fundamental. El respeto a la privacidad debería ser exigible no sólo a los gobiernos y a las grandes compañías, sino también a los individuos a la hora de relacionarse unos con otros.

Existen diversas razones por las cuales es esencial un ámbito de privacidad para que el liberalismo funcione. La primera deriva directamente de la naturaleza del liberalismo en sí. Si entendemos el liberalismo como un medio de gobernar en la diversidad, asumimos que no habrá un consenso acerca de visiones sustanciales de la vida buena. Esto no significa que los individuos tengan que renunciar a sus compromisos morales, sino solamente que esos compromisos tienen que cumplirse en su vida privada y no imponerse a otras personas. Los ciudadanos de una república liberal tienen que practicar la tolerancia, lo que significa respetar la diversidad y renunciar a la voluntad de hacer que otras personas se comporten de acuerdo con sus propias creencias profundas. Es la persona que se muestra públicamente —la que actúa de una determinada manera ante los demás— la que debería importar y no la naturaleza de sus convicciones más íntimas.

Respetar la privacidad de los demás podría parecer una exigencia indiscutible, pero en ocasiones no concuerda con otros principios, como la idea de que el comportamiento individual debería ser transparente y que las personas deberían ser responsables de él. En los últimos años ha habido una tremenda presión en favor de una mayor transparencia y responsabilidad a nivel global. Esta exigencia empieza con las instituciones públicas, como las cámaras legislativas y los órganos ejecutivos, pero se ha extendido también a la dirección de organizaciones privadas, desde la Iglesia católica hasta los *boy scouts*, pasando por las corporaciones, las empresas y las organizaciones no gubernamentales. Sin transparencia no puede haber responsabilidad: los funcionarios corruptos, los líderes despóticos, los que se dedican a la pornografía infantil y los proxenetas podrían ocultarse tras un velo de discreción. De hecho, la transparencia es considerada por mucha gente como un bien indiscutible y en el que *más* es siempre mejor que *menos*.

Aunque la privacidad y la transparencia pueden ser complementarias en determinadas circunstancias, también están a menudo en conflicto la una con la otra, y ninguna sociedad liberal puede ser del todo transparente o renunciar a la necesidad de privacidad. La deliberación y la negociación no pueden existir en un mundo totalmente transparente. Nadie que vaya a comprar una casa quiere que el vendedor tenga acceso a las discusiones con el agente inmobiliario sobre su última oferta de compra; nadie se comportará con honradez en un debate sobre una contratación o un ascenso profesional si sus opiniones sinceras van a llegar a oídos de todo el mundo, incluidos los del candidato. Las llamadas normas de «Chatham House»[82] son invocadas precisamente en las reuniones privadas para animar a los participantes a hablar con franqueza. En Estados Unidos, una serie de leyes, como la Federal Advisory Commission Act y la Government in the Sunshine Act, fueron promulgadas en la década de 1970 a raíz del escándalo Watergate. Junto con la cobertura televisiva del Congreso veinticuatro horas al día y siete días por semana, esas normas obligatorias de transparencia han sido vistas numerosas veces como causantes de la desaparición de la de-

82. Alude a una regla de debates según la cual los participantes tienen derecho a usar la información que reciben, pero no se puede revelar ni la identidad ni la afiliación del orador ni de ningún otro participante. En principio, esta estipulación busca abrir los debates y hacerlos más fructíferos. *(N. del e.)*

liberación, tanto en el ámbito del poder ejecutivo como del legislativo.[83]

El auge de internet, junto con los medios de comunicación tradicionales, ha erosionado gravemente el ámbito de privacidad de todo el mundo. Opiniones privadas que con anterioridad se habrían expresado en persona o por teléfono, son ahora divulgadas por plataformas electrónicas, en las cuales quedan registradas de manera permanente. En China es el gobierno el que tiene acceso a esos datos, y puede usarlos para controlar el comportamiento de sus ciudadanos. En los países democráticos son las grandes plataformas las que tienen acceso a ellos, y una empresa como Facebook (ahora Meta) utiliza sus conocimientos sobre tus ideas y preferencias más íntimas para venderte cosas.

Pero el problema no empieza y acaba con las grandes plataformas. Muchos usuarios expresan lo que creen que son opiniones privadas por correo electrónico o a pequeños grupos de personas en las redes sociales. No obstante, cualquiera que reciba el mensaje puede retransmitirlo al resto del mundo y, en los últimos años, muchas personas se han metido en líos por el simple hecho de hablar con sinceridad en un ámbito que creían privado. No existe, además, ninguna ley de límites en internet; todo lo que digas entra a formar parte de un registro público permanente, extremadamente difícil de desmentir con posterioridad.

Esas tendencias se hicieron patentes en el caso de Donald McNeil, un veterano periodista de *The New York Times*. Durante un viaje de estudios a Perú con un grupo de estudiantes de instituto, McNeil fue acusado de emplear un epíteto racial, no en nombre propio, sino como una cita y, más en general, de hablar de un modo que algunos estudiantes interpretaron como racista. La historia causó sensación en las redes sociales y provocó una enorme movilización de empleados del periódico indignados

83. Bull, Reeve T., «Rationalizing transparency Laws», *Yale Journal on Regulation Notice & Comment*, 30 de septiembre de 2021; Lessig, Lawrence «Against Transparency: The Perils of Openness in Government», *The New Republic*, 19 de octubre de 2009; Breton, Albert, *The Economics of Transparency in Politics*, Ashgate, Aldershot (Inglaterra), 2007.

que exigían una disculpa por parte de McNeil y que acabaron forzando su marcha.[84]

La libertad de expresión incluye el derecho de las organizaciones privadas a supervisar y controlar lo que dicen sus empleados cuando actúan en su nombre. Desde luego, puede que McNeil hubiera dicho cosas que hubieran provocado la apertura del correspondiente procedimiento sancionador interno por parte del periódico. Aquí el problema fue el nuevo baremo para juzgar lo que constituía un comportamiento racista. El propio editor del *Times,* Dean Baquet, concluyó: «No me pareció que sus intenciones fueran odiosas o perversas». Sin embargo, activistas antirracistas contemporáneos han tratado de desvincular el racismo de la intención. Ya no basta con que las personas se comporten de manera no racista; se dice que sus pensamientos están impregnados de un racismo oculto y tienen que estar en línea con la ortodoxia dominante. La existencia de redes sociales hizo que *The New York Times* no pudiera abordar el asunto discretamente a través de sus propios procedimientos internos y que viera cómo el incidente se convertía en objeto de debate a escala nacional. El caso McNeil muestra cómo la privacidad se ha visto erosionada por la confluencia de varias tendencias más amplias; en primer lugar, la creencia de que la transparencia debería extenderse a todas las formas de comportamiento privado; en segundo, la extrema sensibilidad al lenguaje engendrada por la combinación de lenguaje y poder de la política identitaria; y, en tercer lugar, la capacidad tecnológica de transformar las palabras privadas en declaraciones públicas.

En Estados Unidos, la privacidad es objeto de protección en determinados ámbitos limitados, como la información sanitaria, pero no existen leyes que protejan otras formas de privacidad comparables con el Reglamento General de Protección de Datos (RGPD) europeo.[85] Sin embargo, como muestra el ejemplo de

84. Véase la versión de Joe Pompeo, «"It's Chaos": Behind the Scenes of Donald McNeil's *New York Times* Exit», *Vanity Fair,* 10 de febrero de 2021.

85. El Tribunal Supremo de Estados Unidos declaró que había un «derecho a la privacidad» incorporado en la Constitución estadounidense en el caso

McNeil, la regulación formal de la privacidad sería muy difícil de aplicar y tendría que conllevar una intervención detallada de las comunicaciones privadas por parte del Estado, lo cual podría fácilmente tener consecuencias contraproducentes. La protección de la privacidad puede basarse en una ley clara, pero en última instancia se garantiza mejor mediante normas sociales que respeten la capacidad de los ciudadanos de expresar opiniones desagradables o controvertidas.

Por otro lado, la protección de la privacidad requiere normas muy diferentes en lo que se refiere a las declaraciones públicas. Los ciudadanos tienen que observar unas normas básicas de urbanidad al hablar entre ellos. Gran parte del discurso político estadounidense actual no pretende calar en personas con opiniones razonadas distintas; en muchos casos está diseñado para provocar deliberadamente a los oponentes o favorecer el acuerdo entre personas de mentalidad afín.

Así, la libertad de expresión se ve amenazada tanto por las concentraciones de poder que otorgan un gran control a determinados actores como por la constante erosión del ámbito de privacidad que una sociedad liberal pretende proteger. La función deliberativa de la libertad de expresión se ha visto debilitada no sólo por las excesivas demandas de transparencia, sino también por la aparición de diferentes tipos de «mundos de fantasía» gracias al paso de nuestras interacciones sociales a las comunicaciones digitales.

En Estados Unidos, en 2021, una parte significativa de la derecha estadounidense vive en un mundo de fantasía en el que Donald Trump ganó las elecciones presidenciales de noviembre de 2020 de manera aplastante, pero en el que la victoria le fue arrebatada mediante un fraude masivo llevado a cabo por los demócratas. Esto ha tenido consecuencias en el mundo real, como el asalto al Capitolio el 6 de enero de 2021 por una multitud partidaria de Trump. Asimismo, esto ha provocado que políticos de estados como Georgia, Texas, Florida y Arizona promulguen leyes di-

---

Roe contra Wade, pero lo utilizó básicamente para legalizar el aborto, y no para proteger la privacidad de la información o las comunicaciones en general.

señadas para corregir un problema inexistente, restringiendo el acceso al voto y otorgándose a sí mismos el derecho a anular resultados electorales en comicios futuros si no dan como vencedores a los republicanos. En Estados Unidos, a raíz de la campaña de vacunación como respuesta a la pandemia de la COVID-19, muchos conservadores se han opuesto a la vacunación por considerarla un plan político. Un número más pequeño, aunque significativo, se ha adscrito a teorías de la conspiración aún más extravagantes, como la narrativa de QAnon, según la cual el Partido Demócrata forma parte de una red de pedofilia internacional.[86]

La propagación de esos relatos está directamente vinculada con el auge de internet. La paranoia de la derecha ha estado siempre presente en la política estadounidense, desde el Temor Rojo de la década de 1920, hasta Joseph McCarthy en la de 1940, pero tales teorías de la conspiración quedaban generalmente relegadas a los márgenes del espectro político.[87] Antes de internet, la información estaba controlada por un pequeño número de canales de comunicaciones y periódicos, lo cual hacía que a un político perdedor le resultara muy difícil alegar fraude electoral en ausencia de pruebas concluyentes. Sin embargo, internet ha proporcionado un número ilimitado de canales para propagar la desinformación.

Normalmente, si la versión preferida de la realidad de alguien difiere lo suficiente de la auténtica realidad, al final llegará la hora de la verdad: no conseguirá el trabajo, no llegará al destino correcto o no se protegerá frente a la enfermedad. Pero, también aquí, las modernas tecnologías de la información han hecho muchas otras cosas para interferir en los panoramas cognitivos de la gente. Cada vez con mayor frecuencia, no interactuamos con el mundo exterior tocando, sintiendo, caminando o hablando con otras personas. Hoy en día, esas actividades están a menudo mediatizadas por pantallas que nos presentan avatares de

86. LaFrance, Adrienne, «The Prophecies of Q», *The Atlantic*, junio de 2020.

87. Véase Hofstadter, Richard, *The Paranoid Style in American Politics*, Vintage, Nueva York, 2008.

esa realidad exterior. Nuestros contactos sociales se han extendido mucho más allá de los estrechos círculos de la familia y los amigos con los que nos relacionábamos hace una o dos generaciones. Simulaciones de la realidad generadas por ordenador se han vuelto increíblemente realistas y han difuminado la percepción de la gente de lo que es real y lo que es un simulacro. Esto es en especial evidente en los juegos en línea o en el mundo fantástico de los superhéroes de Hollywood, los cuales ocupan una parte enorme y cada vez mayor del tiempo de los jóvenes. En el mundo de los juegos, uno no tiene que vivir con el cuerpo o la identidad social con la que ha nacido, y apenas es responsable de sus actos, ya que puede mantenerse en el anonimato. El miedo a la muerte, que por lo general nos obliga a limitar las conductas peligrosas como la conducción temeraria o el hecho de comportarnos de manera violenta con otras personas, no existe en el mundo digital. Así pues, eso constituye el telón de fondo tecnológico de la situación actual en Estados Unidos, donde quienes se encuentran en cualquier bando de la actual división ideológica no se limitan a estar en desacuerdo en cuanto a sus preferencias ideológicas y políticas, sino que ven versiones diferentes de la realidad.

La izquierda progresista tiene su propia versión de la fantasía del mundo digital. Esta versión es mucho más apacible y menos trascendente que la de la derecha, y no pone en peligro los cimientos de la democracia liberal. Sin embargo, sí que tiene consecuencias en lo que respecta a la capacidad de la izquierda para cumplir su propio programa.

Como hemos visto, la tradición de la teoría crítica asociada con la política identitaria pone un énfasis extraordinario en las palabras y el lenguaje como significantes de las estructuras de poder subyacentes. Esto hace que, a menudo, las palabras se confundan con el auténtico poder. En ámbitos como el universitario y el artístico ha habido una enorme expansión de la interpretación de lo que constituye un perjuicio para los demás. En algunos casos, la simple articulación de determinadas palabras proscritas se considera algo equivalente a la violencia, de modo que su prohibición está justificada en aras de la seguridad física.

Internet le ha proporcionado a la gente un medio en el que expresar sus sentimientos sobre la justicia social, liberándola al mismo tiempo de la necesidad de ponerlos en práctica. Lograr la justicia social en una democracia liberal es una tarea complicada: empieza con la movilización popular, la cual requiere despertar la conciencia de la gente acerca de la injusticia en cuestiones de raza, sexo, discapacidad u otros aspectos que pueden ser motivo de discriminación. El activismo en internet es perfecto para eso, pero requiere pasar de la movilización a la acción: alguien debe formular políticas y leyes para remediar la situación; las elecciones tienen que celebrarse, las victorias tienen que lograrse y las mayorías ejecutivas tienen que formarse; hay que convencer a los legisladores para que destinen recursos a aplicar soluciones; y las políticas de actuación deben ser debatidas en los tribunales y, con posterioridad, aplicadas a gran escala. Muchas de esas fases requieren convencer a los conciudadanos que inicialmente no están de acuerdo con el tema de la justicia social en cuestión que, a su vez, podría requerir adaptar los objetivos para que se ajusten a la realidad política.

Internet ha permitido que la gente confunda actos de habla con actos que tienen consecuencias en el mundo real. Al bloquear a un hablante al que se considera racista, los activistas están convencidos de haber propinado un golpe al racismo. Sin embargo, lo que han hecho es simplemente cambiar el ámbito de expresión y convertirse ellos mismos en el objetivo de críticas justificadas por parte de la derecha. Las empresas de redes sociales han creado de forma ingeniosa sistemas de incentivos que convencen a la gente de que está haciendo algo importante si acumula *likes* o retuits, mientras que, en realidad, eso sólo es significativo dentro del mundo cerrado de la propia red social. Esto no significa que las redes sociales no puedan conducir a mejoras en el mundo real. No obstante, la mayoría de las personas están satisfechas con el simulacro de realidad que perciben a través de sus interacciones digitales.

El ataque a la ciencia natural moderna y a los enfoques de la cognición de la Ilustración empezó en la izquierda, cuando la teoría crítica puso al descubierto los programas ocultos de las élites que los promovían. Este enfoque rechazaba a menudo la posibilidad de una verdadera objetividad y, en cambio, valoraba los sentimientos y las emociones subjetivos como fuente de autenticidad. Ahora, el escepticismo se ha desplazado hacia la derecha populista, la cual considera que las élites utilizan esos mismos modos cognitivos no como técnicas para marginar a comunidades minoritarias, sino para victimizar a la antigua corriente dominante. Los progresistas y los nacionalistas blancos coinciden en valorar el sentimiento y la emoción por encima del frío análisis empírico.[88]

Una solución a largo plazo al problema de las realidades alternativas creadas por internet y las comunicaciones digitales no puede ser el abandono del principio de libertad de expresión mediante el uso del poder, simplemente para acallar las formas de expresión desfavorecidas, tanto si lo llevan a cabo gobiernos y corporaciones como si lo hacen multitud de usuarios de internet. Aun cuando alguien esté de acuerdo con el uso de ese poder a corto plazo o con un objetivo como el de impedir la incitación a la violencia inmediata, debería quedar claro que esa clase de poder es muy peligrosa y será esgrimida inevitablemente por otros actores con los que se esté en desacuerdo a lo largo del tiempo.

88. En su libro *Las palabras y las cosas: una arqueología de las ciencias humanas*, Michel Foucault describe los enfoques cognitivos predominantes durante el siglo XVI, anteriores al auge de la ciencia natural moderna de Bacon. La gente creía que la similitud, la proximidad, la repetición y la analogía revelaban relaciones entre el mundo visible y un orden oculto que era su espejo, un mundo estructurado por un poder superior. Los observadores buscaban signos en la realidad observada que proporcionasen pistas sobre el mundo oculto. Para entender ese mundo, había que saber leer signos desperdigados más que elaborar modelos mentales a partir de la realidad observada. En muchos sentidos, en la era de internet, la gente se ha retirado a ese modo de cognición precientífico: los seguidores de QAnon y sus teorías de la conspiración buscan pistas desperdigadas que les señalan la dirección de una realidad absolutamente diferente de la evidente, una realidad que ha sido manipulada por élites hostiles e instituciones que no son de fiar. O bien buscan en su interior para encubrir sus sentimientos y no en el mundo exterior, que tal vez defraudaría sus esperanzas y expectativas. (Véase Foucault, *Las palabras y las cosas*, *op. cit.*, capítulo 2.)

Tenemos que restablecer el marco normativo del liberalismo, incluyendo su enfoque de la racionalidad y la cognición. Una norma fundamental es la creencia, no en la «ciencia», la cual no habla nunca con una única voz autorizada, sino en un método científico abierto y dependiente de la verificación empírica y la refutación. La libertad de expresión depende más de las normas de urbanidad y del respeto por el ámbito de privacidad de otras personas. Sigue siendo cierto que existe un mundo objetivo ahí fuera, más allá de nuestras mentes subjetivas, y que, si una realidad alternativa se aleja demasiado de él, será imposible lograr objetivos reales, por mucho que queramos que la realidad alternativa sea cierta. Podemos tragarnos la píldora del color equivocado, pero acabaremos despertándonos del sueño.

8

¿Hay alternativas?

Pueden hacerse muchas críticas legítimas a las sociedades liberales: son consumistas y autocomplacientes, no transmiten una fuerte sensación de comunidad o de un objetivo común, son demasiado permisivas y muestran una falta de respeto por valores religiosos profundamente arraigados; son en exceso diversas; no son lo bastante diversas; son demasiado apáticas a la hora de lograr una verdadera justicia social; toleran demasiada desigualdad; están dominadas por élites manipuladoras y no responden a los deseos de la gente corriente. Pero, en cualquier caso, tenemos que plantearnos una pregunta: ¿qué principio superior y qué forma de gobierno debería sustituir al liberalismo? Este cuestionamiento puede entenderse en dos sentidos distintos: desde un punto de vista normativo, ¿existen principios alternativos que deberían sustituir a los que informan el liberalismo, y sustituir su universalidad, la premisa de la igualdad humana y el sometimiento a la ley? Y en segundo lugar, desde el punto de vista de la política práctica, ¿existe una forma de lograr un orden político alternativo realista?

Empecemos con una exposición más concreta de los desencantos expresados por la derecha política. Se centran en algo fundamental para el liberalismo y se han planteado repetidamente a lo largo de los siglos durante los cuales ha existido el liberalismo. El liberalismo clásico rebajó de manera deliberada las expectativas de la política, para apuntar no a una vida buena tal como la define una religión, una doctrina moral o una tradición cultural en concreto, sino a la preservación de la propia vida en unas condiciones en las cuales la población no podía ponerse de acuerdo acerca de lo que era la vida buena. Esto provoca un vacío espiritual en los órdenes liberales: permite a los individuos seguir su propio camino y crea sólo una leve sensación de comunidad. Los órdenes políticos liberales requieren en efecto unos valores compartidos, como la tolerancia y la apertura al acuerdo y a la deliberación, pero ésos no son los fuertes lazos de una comunidad religiosa o étnico-nacionalista estrechamente unida. A menudo, las sociedades liberales han fomentado la persecución ciega de la gratificación material, una sociedad de consumo ávida de estatus pero, al mismo tiempo, permanentemente insatisfecha con lo que cualquier individuo es capaz de lograr.

Este vacío es reprobado por intelectuales conservadores como Sohrab Ahmari y Adrian Vermeule, los cuales asocian el liberalismo con la destrucción de las normas morales de conducta arraigadas en la religión. En concreto, han reprochado el creciente ámbito de la autonomía individual apuntado en el Capítulo 6. Según Ahmari: «El movimiento contra el que nos enfrentamos, también valora la autonomía por encima de todo; de hecho, su objetivo final es evitar en lo posible que la voluntad individual defina lo que es verdadero, bueno y bonito, en contra de la autoridad de la tradición».[89] Adrian Vermeule plantea un sistema alternativo que va más allá de la autonomía: «Actualmente, es posible imaginar un constitucionalismo moral sustantivo [...] liberado también del relato sacramental dominante de los liberales de izquierdas, la incesante expansión de la autonomía del individuo».[90] Las normas religiosas han sido especialmente importantes a la hora de regular la vida familiar y la conducta sexual. Los conser-

89. Ahmari, Sohrab, «Against David French-ism», *First Things*, 29 de mayo de 2019.

90. Vermeule, Adrian, «Beyond Originalism», *The Atlantic*, 31 de marzo de 2020.

vadores cristianos han deplorado durante mucho tiempo la expansión del aborto como un ataque contra el carácter sagrado de la vida, así como la de prácticas relacionadas como la eutanasia. La rápida aceptación de la homosexualidad y la fluidez de género por las sociedades liberales en los últimos años ha contribuido a este desencanto. En términos más generales, muchos religiosos conservadores consideran que el liberalismo promueve una laxitud moral general en la que los individuos se adoran a sí mismos, en lugar de adorar a un Dios trascendente o a una ley moral. Si bien esta vía se asocia a los cristianos conservadores de Estados Unidos, también es característica de los judíos, musulmanes, hindúes y personas conservadoras de otras confesiones.

La queja de los nacionalistas es similar a la de los conservadores religiosos: el liberalismo ha deshecho los lazos de la comunidad nacional y los ha sustituido por un cosmopolitismo que se preocupa por las personas de países lejanos tanto como por sus conciudadanos. Los nacionalistas del siglo XIX basaban la identidad nacional en la biología y creían que las comunidades nacionales estaban enraizadas en unos ancestros comunes. Éste continúa siendo el argumento de ciertos nacionalistas contemporáneos, como Viktor Orbán, quien ha definido la identidad nacional húngara como una identidad basada en el origen étnico húngaro. Otros nacionalistas contemporáneos, como el israelí Yoram Hazony, han tratado de distanciarse del nacionalismo étnico del siglo XX, argumentando en cambio que las naciones constituyen unidades culturales coherentes que permiten a sus miembros compartir arraigadas tradiciones gastronómicas, festivas y lingüísticas, entre otras.[91] Patrick Deneen ha sostenido que el liberalismo constituye una forma de anticultura que ha anulado todas las formas de cultura preliberal, utilizando el poder del Estado liberal para insertarse en la vida privada y controlar todos sus aspectos. Resulta significativo que tanto él como otros conservadores hayan roto con los neoliberales económicos y hayan culpado explícitamente al capitalismo de mercado de erosio-

91. Hazony, Yoram, *La virtud del nacionalismo*, traducción de Ía Smertka-Kostsky, Ivat, Madrid, 2021.

nar los valores de la familia, la comunidad y la tradición.[92] Como consecuencia de ello, las categorías del siglo XX que definían izquierda y derecha en términos de ideología económica, no se ajustan a la perfección a la realidad actual, con grupos de derechas dispuestos a permitir el uso del poder del Estado para regular tanto la vida social como la economía.

Existe, desde luego, una coincidencia considerable entre los conservadores, tanto religiosos como nacionalistas. Entre las tradiciones que quieren preservar los nacionalistas contemporáneos hay tradiciones religiosas; así, el partido polaco Ley y Justicia se ha alineado estrechamente con la Iglesia católica polaca y ha asumido muchas de sus reivindicaciones culturales sobre el apoyo por parte de la Europa liberal al aborto y al matrimonio homosexual. En la misma línea, los conservadores religiosos se consideran a menudo patriotas; esto es sin duda así en el caso de los evangelistas estadounidenses que formaban el núcleo del movimiento Make America Great Again, de Donald Trump.

En algunos rincones de la derecha estadounidense, el rechazo a tolerar la diversidad se extiende no sólo a conciudadanos de determinada raza, etnia o religión sino también a amplios grupos de personas que, de hecho, constituyen la mayoría de la población. Según Glenn Ellmers, del Claremont Institute:

> En realidad, me estoy refiriendo a las numerosas personas nativas —algunas de cuyas familias llevan aquí desde el *Mayflower*— que, aunque técnicamente sean ciudadanos de Estados Unidos, ya no son (si es que alguna vez lo fueron) *estadounidenses*. No creen en esos principios, tradiciones e ideales que, hasta hace poco, definían a Estados Unidos como nación y como pueblo; no viven de acuerdo con ellos y ni siquiera les gustan. No está claro cómo deberíamos denominar a esos ciudadanos-extranjeros, a esos estadounidenses no estadounidenses; pero son otra cosa.[93]

92. Deneen, Patrick J., *¿Por qué ha fracasado el liberalismo?*, capítulo 3, traducción de David Cerdá, Rialp, Madrid, 2019.

93. Ellmers, Glenn, «"Conservatism" Is no Longer Enough», *American Mind*, 24 de marzo de 2021.

Para este autor, la prueba de que se es un «verdadero» estadounidense es haber votado a Donald Trump en 2020, lo cual convierte a los más de 80 millones que han votado a Biden en «no estadounidenses».

Existe otra crítica conservadora al liberalismo que no está tan relacionada con la esencia de las políticas liberales sino con los procedimientos mediante los cuales fueron creadas. El liberalismo está enraizado en la ley y protege la autonomía de jueces y tribunales. Si bien, en teoría, los jueces interpretan leyes promulgadas por asambleas legislativas elegidas de manera democrática, a veces se han saltado a estas últimas y han promovido políticas que, presuntamente, reflejan sus propias preferencias y no las de los votantes. Christopher Caldwell ha afirmado que la revolución por los derechos civiles de la década de 1960 fue llevada a cabo en gran medida por los jueces y ha sido ampliada por los tribunales para abarcar otros ámbitos de discriminación, como los derechos de la mujer y el matrimonio homosexual. Esto ha provocado, en su opinión, un orden constitucional alternativo al imaginado en un principio por los fundadores en 1789, es decir, uno en el que no son mayorías democráticas las que toman decisiones importantes, sino que quienes lo hacen son jueces no elegidos.

Una queja paralela por parte de los conservadores es que las normas relativas a temas socialmente sensibles, como los roles de género y la orientación sexual, han sido promulgadas por un Estado administrativo exento de responsabilidad, a menudo actuando al dictado de jueces asimismo exentos de responsabilidad. En Estados Unidos, muchas políticas públicas son formuladas por los estados y las juntas escolares locales, las cuales pueden establecer programas por decreto en lugar de por mandato legislativo. En ocasiones, cuando esas normas son sometidas a consulta popular mediante referéndum, son rechazadas (como en el caso de la propuesta de ley 8 de California para prohibir el matrimonio homosexual); sin embargo, los resultados pueden ser ignorados como consecuencia de posteriores decisiones judiciales.

Si bien el activismo judicial no es un problema tan importante en Europa como en Estados Unidos, en el viejo continente hay también protestas contundentes por parte de la derecha sobre el poder de los tribunales a la hora de anular las decisiones populares. El Tribunal Europeo de Derechos Humanos y el Tribunal de Justicia de la Unión Europea, por ejemplo, han dictado sentencias vinculantes acerca del estatus de refugiados que han restringido la capacidad de los Estados miembros de esta unión económica y política para abordar por su cuenta ese tema tan delicado. Tras la crisis migratoria siria de 2014, esto avivó una animadversión populista en contra de las instituciones europeas, lo cual fue uno de los factores que contribuyeron al voto del Reino Unido a favor de abandonar la Unión Europea en 2016. La derecha europea tiene un problema aún mayor con la administración de la Unión Europea, la cual es mucho más poderosa que su homóloga estadounidense en el ámbito de la política económica y sólo está levemente sujeta a algún tipo de responsabilidad democrática directa.

La crítica esencial al liberalismo por parte de los conservadores —que las sociedades liberales no proporcionan un horizonte moral común en torno al cual puede construirse una comunidad— está bastante justificada. De hecho, se trata de una característica del liberalismo, no de un defecto. Para los conservadores, la cuestión es si existe una forma realista de reducir el laicismo de las sociedades liberales contemporáneas y volver a imponer un orden moral más sólido.

Puede que algunos conservadores tengan la esperanza de que sus sociedades vuelvan a someterse a un orden moral cristiano imaginado. Sin embargo, las sociedades modernas son hoy mucho más diversas desde el punto de vista religioso que en la época de las guerras religiosas de la Europa del siglo XVI. No sólo existen religiones y sectas religiosas enfrentadas, sino también profundas divisiones entre personas religiosas y laicas, las cuales han provocado fuertes polarizaciones en Polonia, Israel y Estados Unidos. A lo largo de la última década, en Estados Unidos se ha producido una importante disminución del número de personas que profesan alguna de las religiones establecidas, siguiendo así la senda de Europa hacia el laicismo. La idea de retrasar el reloj y restablecer un horizonte moral común definido por las creencias religiosas es inviable. Aquellos que, como el primer ministro indio Narendra Modi, esperan llevar a cabo ese restablecimiento están fomentando el tipo de opresión y de violencia comunitaria que despreció cuando era ministro jefe del estado de Guyarat.

Si un retroceso de ese tipo no puede lograrse mediante la persuasión, algunos intelectuales conservadores han coqueteado con la idea de un gobierno manifiestamente autoritario. El profesor de Derecho de Harvard Adrian Vermeule, por ejemplo, se ha declarado partidario de lo que denomina el «constitucionalismo del bien común»:

> Este enfoque debería tomar como punto de partida los principios morales fundamentales que conducen al bien común, principios que los funcionarios (incluyendo a los jueces, pero sin limitarse en absoluto a ellos) deberían inferir de las majestuosas generalidades y ambigüedades del texto constitucional. Entre esos principios se incluye el respeto al imperio de la ley y a los gobernantes, el respeto a las jerarquías necesarias para que funcione la sociedad [...].

Prosigue afirmando que «el principal objetivo del constitucionalismo del bien común no es, desde luego, maximizar la autonomía individual o minimizar el abuso de poder (un objetivo incoherente en cualquier caso), sino asegurarse de que el gobernante disponga del poder necesario para gobernar bien».[94] Algunos autores conservadores han sugerido que la victoria de Viktor Orbán en Hungría o la del último dictador de Portugal en el siglo XX, António de Oliveira Salazar, podrían servir como modelos de actuación para futuros líderes estadounidenses.[95] La extrema derecha ha coqueteado con la violencia como forma de frenar el progresismo. Estados Unidos ha estado siempre repleto de armas, y, durante 2020, el año de la pandemia, la compra de armas experimentó un aumento enorme. Las justificaciones para

94. Véase Vermeule, «Beyond Originalism», *op. cit.*; véase también Field, Laura K., «What the Hell Happened to the Claremont Institute?», *The Bulwark*, 13 de julio de 2021.

95. Véase Hazony, *La virtud del nacionalismo*, *op. cit.*

la posesión de armas han pasado cada vez más del uso deportivo y la caza a la necesidad de alzarse contra gobiernos tiránicos, entre los que, para este grupo, estaría incluida cualquier administración controlada por los demócratas.

Es posible imaginar algunos escenarios muy desagradables en Estados Unidos en torno a futuras elecciones impugnadas, aunque sigue siendo extremadamente improbable que alguna vez se produzca una rebelión armada en el país. Tampoco parece probable que los estadounidenses acepten alguna vez un gobierno manifiestamente autoritario como el planteado por Vermeule. Conscientes de esta realidad, autores conservadores como Patrick Deneen y Rod Dreher han recomendado el retiro a pequeñas comunidades o incluso el monacato, donde los creyentes con las mismas ideas podrían profesar sus creencias protegidos de las corrientes dominantes de la sociedad liberal.[96] No hay nada en el liberalismo estadounidense contemporáneo que les impida llevar eso a cabo hoy; no se trata tanto de plantear una alternativa al liberalismo como de aprovecharse de la apertura intrínseca del liberalismo a la diversidad.

La queja procedimental de los conservadores sobre el papel de los tribunales y las administraciones exentas de responsabilidad y que impulsan programas culturales impopulares refleja un verdadero problema para la elección democrática. Pero, una vez más, la queja va dirigida contra una característica del liberalismo con importantes raíces históricas. Ninguna democracia *liberal* otorga poder ilimitado a las mayorías democráticas, ya que los fundadores del liberalismo entendían que las personas podían tomar decisiones equivocadas. Esto fue especialmente cierto en el caso de los fundadores de Estados Unidos, los cuales se preocuparon durante un tiempo considerable de los excesos de la democracia y diseñaron un sistema complejo de controles y contrapesos para limitar la elección democrática plena. Christopher

96. Véase Deneen, *¿Por qué ha fracasado el liberalismo?*, Capítulo 3, *op. cit.*; Dreher, Rod, *La opción benedictina: una estrategia para los cristianos en una sociedad postcristiana*, traducción de Consuelo del Val, Ediciones Encuentro, Madrid, 2018, Capítulo 1.

Caldwell sostiene que la revolución de los derechos civiles de la década de 1960 marcó el comienzo de un nuevo orden constitucional en el que, de manera habitual, los tribunales podían anular la elección popular, pero se trata de un importante malentendido tanto de la naturaleza del sistema como de la historia de Estados Unidos.

El principal problema al que se enfrentaron los estadounidenses tras la fundación del país fue el de la raza. En el Sur anterior a la guerra de Secesión, una mayoría abrumadora de votantes apoyaba la institución de la esclavitud, en una época en la que el derecho de sufragio estaba limitado exclusivamente a los hombres blancos. En sus debates con Abraham Lincoln, Stephen Douglas defendió la primacía de la elección democrática: sostenía que no le importaba si la gente votaba a favor o en contra de la esclavitud; lo importante era que se respetara su voluntad. La respuesta de Lincoln a este argumento fue que había en juego principios más importantes que la democracia, concretamente, la premisa de que «todos los hombres han sido creados iguales» recogida en la Declaración de Independencia. La esclavitud contravenía ese principio; estaba mal tanto si era respaldada democráticamente por la mayoría como si no.

Debido a la elección de los votantes del Sur, el fin de la esclavitud no pudo alcanzarse por la vía democrática, sino que fue necesaria una sangrienta guerra civil. Tampoco bastó la democracia para acabar con la segregación legal y con las leyes Jim Crow un siglo después. La mayoría de los votantes blancos de los estados del Sur estaban a favor de la segregación, y no se los pudo convencer de lo contrario. La intensa utilización de los tribunales y las administraciones en lugar de las asambleas legislativas durante la era de los derechos civiles tiene que contemplarse en el contexto de la historia racial del país, en la cual los propios votantes no han elegido siempre políticas liberales.

No está claro que Caldwell tenga una alternativa realista a los males que describe. Su argumento acerca de cómo el liberalismo le dio la vuelta a la constitución original de Estados Unidos implica que le gustaría volver a la situación anterior al caso Brown contra el Consejo de Educación, de 1954, en la cual las mayorías democráticas podían votar la limitación de derechos fundamentales de determinadas clases de ciudadanos. Resulta mucho más realista la idea de que, en un futuro, los tribunales y los organismos administrativos se repriman más a la hora de emitir fallos que vulneren las prerrogativas de las asambleas legislativas. En Estados Unidos, los textos jurídicos que prohibían la discriminación racial y sexual se han desarrollado en cientos de páginas en las que se establecen directrices relativas a la regulación por parte de escuelas y universidades de las relaciones sexuales. Las leyes deben evolucionar necesariamente para adecuarse a las nuevas circunstancias, y los tribunales y los organismos administrativos desempeñan un papel importante en el impulso de dichos ajustes cuando las asambleas legislativas actúan con excesiva lentitud. Sin embargo, si se anticipan demasiado a la opinión pública, corren el riesgo de perder legitimidad. Al permitir que se los use como un medio para saltarse el procedimiento legislativo, los tribunales y organismos se han convertido en el blanco de una intensa oposición y politización.

De manera parecida, las críticas al liberalismo por parte de la izquierda progresista son tanto sustantivas como procedimentales. La queja sustantiva es que enormes desigualdades basadas en la clase social, la raza, el sexo, la orientación sexual, etcétera, han estado presentes durante décadas. Los políticos de la corriente dominante han aprendido a vivir con ellas, ya que los profesionales con formación podían vivir dignamente aislándose del resto de la sociedad. Tras la revolución de Reagan y Thatcher en la década de 1980, muchos políticos de izquierdas, desde Bill Clinton y Tony Blair hasta Barack Obama, se desplazaron hacia la derecha y aceptaron argumentos liberales sobre la necesidad de soluciones de mercado, austeridad e incrementalismo (o gradualismo). Problemas como la violencia policial contra los afroamericanos fueron escondidos debajo de la alfombra, aun cuando las brechas entre grupos raciales seguían sin abordarse o incluso se ampliaban. Problemas nuevos como el cambio climático han provocado enormes conflictos intergeneracionales y no han podido ser abordados seriamente a causa del poder de actores atrincherados como lo son las compañías de combustibles fósiles y los votantes conservadores que no creen que el cambio climático sea una realidad. El incrementalismo liberal, por tanto, ha sido un absoluto fracaso a la hora de aportar soluciones a la altura de los desafíos a los que se enfrenta la sociedad.

A continuación, esas críticas sustantivas conducen a quejas procedimentales que son fuente de tensión entre muchos activistas de la generación Z y sus mayores nacidos en la generación del *baby boom*. Las democracias liberales están construidas en torno a reglas complejas que requieren deliberación y acuerdos y que, a menudo, sirven para bloquear formas de cambio más radicales. En un país fuertemente polarizado como Estados Unidos, esto ha significado que un Congreso dividido equitativamente no pudiera ponerse de acuerdo sobre asuntos sencillos como los presupuestos anuales y mucho menos sobre nuevas políticas sociales generalizadas para abordar temas como las desigualdades raciales o la pobreza. De hecho, con el paso del tiempo, las normas se han vuelto más restrictivas, como en el caso del uso habitual de tácticas dilatorias, requiriendo mayorías cualificadas inalcanzables para aprobar legislación importante. Por esta razón, abolir las tácticas dilatorias se ha convertido en una de las principales prioridades progresistas de la administración Biden. Esas quejas sustantivas y procedimentales llevaron a muchos jóvenes activistas progresistas a afirmar que no es que hubieran fracasado políticas o líderes concretos, sino que era el propio sistema el que estaba plagado de obstáculos al cambio social fundamental.

¿Cómo sería una alternativa progresista de izquierdas al liberalismo? Muchos conservadores estadounidenses se han autoconvencido de que ya están viviendo en un mundo de pesadilla en el que un Estado tiránico de «extrema izquierda» está pisoteando sus derechos. Imaginan un mundo en el que el gobierno pasa tranquilamente de obligar a llevar mascarillas y a vacunarse como forma de hacer frente a una emergencia sanitaria a pegar patadas en la puerta para arrebatarle a la gente por la fuerza sus armas y sus biblias. Según autores como Patrick Deneen, el consenso progresista generalizado actual ya ha destripado todas las tradiciones culturales anteriores, dando a entender que los conservadores como él han sido silenciados y ya no pueden hacer oír su voz.

Una imagen más realista de cómo sería una sociedad progresista posliberal requiere cierta matización. A diferencia de la derecha, muy pocas personas de izquierdas juguetean con la idea de un gobierno manifiestamente autoritario. Por el contrario, la extrema izquierda tiende más a ser anarquista que estatista. En ciudades de tendencia más izquierdista, como Portland y Seattle, los activistas han intentado crear zonas libres de policía, como la Zona Autónoma de Capitol Hill de esta última, y han abogado por suprimir la financiación de comisarías de policía en todo el país. Esas políticas han resultado ser contraproducentes: esas zonas autónomas han sido un semillero de delincuencia y de consumo de drogas, y la idea de suprimir la financiación de la policía se ha convertido en un enorme lastre alrededor del cuello de los políticos demócratas más centristas.

Un escenario más probable de una sociedad progresista posliberal sería aquel en el que se produjera una gran intensificación de las tendencias existentes. Datos como la raza, el sexo, la preferencia sexual y otras categorías identitarias se incorporarían en todas las esferas de la vida cotidiana y se convertirían en aspectos primordiales a la hora de alquilar, ascender profesionalmente, acceder a la sanidad y la educación y otros ámbitos. Los estándares liberales, como la meritocracia independientemente de la raza, quedarían relegados frente a preferencias evidentes basadas en la raza y el sexo. Si bien el uso de la acción afirmativa en Estados Unidos se ha visto limitado hasta ahora por las sentencias del Tribunal Supremo, como en el caso Regentes de la Universidad de California contra Bakke, de 1978, la situación podría cambiar, y las categorías identitarias podrían adquirir rango legal. Asimismo, se producirían grandes cambios en la forma en que una sociedad posliberal se relaciona con el mundo exterior. Dicha sociedad podría decidir simplemente renunciar a sus intentos de gestionar las fronteras y poner en práctica un sistema abierto de asilo. Amenazas globales como el cambio climático podrían provocar que se diera mucha más importancia a las políticas y a las leyes adoptadas por actores internacionales que a las de los tribunales y las asambleas legislativas nacionales. La nacionalidad podría diluirse más y perder prácticamente su sentido al otorgar el derecho al voto a quienes carezcan de ella.

En la esfera económica, no está claro que el programa progresista fuera necesariamente posliberal. Políticos como Bernie Sanders no abogan por la abolición de la propiedad privada ni por una vuelta a la planificación central; a lo que aspiran es a una forma de socialdemocracia muy expansiva que ha sido probada, con diferentes grados de éxito, en otras sociedades liberales. El gobierno prestaría servicios sociales muy generosos, pagaría la educación superior, financiaría la asistencia sanitaria, garantizaría los empleos y el salario mínimo, regularía —cuando no nacionalizaría— el sistema financiero y desplazaría de manera masiva la inversión hacia medidas de prevención del cambio climático. Todo esto se pagaría con impuestos igualmente masivos a los ricos o, como establece la política monetaria moderna, mediante el mecanismo probado de la financiación monetaria (imprimiendo dinero).

En la actualidad, no parece probable que se lleve a cabo nada parecido al programa progresista en su totalidad. Si bien una mayor redistribución económica parece ser una opción razonablemente popular entre los votantes, el atractivo de la parte cultural del programa sigue teniendo limitaciones importantes. En Estados Unidos, la polarización no ha sido simétrica. En la derecha, una mayoría considerable de votantes conservadores se ha desplazado hacia lo que, en su día, se consideraban posiciones marginales, centrándose en teorías de la conspiración acerca del fraude electoral y las vacunas. En cambio, los votantes de centroizquierda siguen siendo mucho más diversos. Desde mediados de la década de 2010, ha surgido un ala progresista más radical, si bien en este momento no representa en absoluto la postura dominante del Partido Demócrata. Así, en la política estadounidense, la llamada ventana de Overton se ha ampliado en los últimos años, y el liberalismo manifiesto se ha expresado mucho más ostensiblemente tanto en la derecha como en la izquierda. Ninguno de los extremos plantea una alternativa realista al liberalismo clásico, pero ambos han sido capaces de socavar los ideales liberales y desacreditar a quienes tratan de reivindicarlos.

Parafraseando lo que dijo en una ocasión Winston Churchill acerca de la democracia, el liberalismo es la peor forma de gobierno, con excepción de todas las demás. Esto no constituye una aprobación entusiasta del liberalismo; para eso, tenemos que acudir a otras fuentes.

9

Identidad nacional

Otro desencanto provocado por las sociedades liberales es su frecuente incapacidad a la hora de mostrar una visión positiva de la identidad nacional a sus ciudadanos. La teoría liberal tiene grandes dificultades para trazar fronteras claras en torno a su propia comunidad y dar las explicaciones pertinentes a las personas que se encuentran dentro y fuera de dichas fronteras. La razón de ello es que la teoría se ha construido sobre una reivindicación del universalismo. Como se afirma en la Declaración Universal de los Derechos Humanos: «Todos los seres humanos son libres e iguales en dignidad y derechos»; y prosigue: «Toda persona tiene los derechos y libertades proclamados en esta Declaración, sin distinción alguna de raza, color, sexo, idioma, religión, opinión política o de cualquier otra índole, origen nacional o social, posición económica, nacimiento o cualquier otra condición». En teoría, a los liberales les preocupan las vulneraciones de los derechos humanos, independientemente del lugar del mundo en que se produzcan. A muchos liberales les desagradan los apegos particularistas de los nacionalistas y se consideran «ciudadanos del mundo».

Así pues, ¿cómo puede conciliarse la reivindicación del universalismo con la división del mundo en Estados nación? No existe una teoría liberal clara sobre cómo tienen que trazarse las fronteras nacionales. Esto ha provocado conflictos entre los liberales sobre el separatismo de regiones como Quebec, Escocia y Cataluña, así como desavenencias acerca del adecuado tratamiento de la inmigración y los refugiados.

Si quisiéramos elaborar una teoría de ese tipo, tendría que ser más o menos así. Todas las sociedades tienen que hacer uso de la fuerza, tanto para preservar el orden interno como para protegerse frente a enemigos externos. Una sociedad liberal lo hace creando un Estado poderoso y, posteriormente, limitando ese poder mediante el principio de legalidad. El poder del Estado se basa en un contrato social entre individuos autónomos que acuerdan renunciar a parte de sus derechos a actuar como les parezca a cambio de la protección del Estado. Y esto se legitima tanto por la aceptación común de la ley como, en el caso de una democracia liberal, mediante elecciones populares.

Los derechos liberales carecen de sentido si no pueden ser garantizados por un Estado, el cual, según la famosa definición de Max Weber, ejerce el monopolio legítimo de la fuerza en un territorio determinado. La jurisdicción territorial de un Estado se corresponde necesariamente con el área ocupada por el grupo de individuos que firman el contrato social. Los derechos de las personas que viven fuera de esa jurisdicción deben ser respetados, pero su cumplimiento no tiene que ser impuesto necesariamente por el Estado.

Por tanto, los Estados con una jurisdicción territorial delimitada siguen siendo unos actores políticos esenciales, ya que son los únicos capaces de utilizar la fuerza de manera legítima. En el mundo globalizado actual, el poder es ejercido por una amplia variedad de órganos, que van desde corporaciones multinacionales a entidades sin ánimo de lucro, pasando por organizaciones terroristas y organismos supranacionales como la Unión Europea o las Naciones Unidas. La necesidad de cooperación internacional nunca ha sido tan evidente como en la actualidad, por ejemplo, en temas como el calentamiento global, la manera de combatir las pandemias o la regulación de la seguridad aérea. Sin embargo, sigue sucediendo que una forma concreta de poder, la capacidad de imponer normas mediante la amenaza o el uso real de la fuerza, continúa bajo control de los Estados nacionales. Ni la Unión Europea ni la Asociación de Transporte Aéreo Internacional despliegan a su propia policía o a su ejército para imponer el cumplimiento de las normas que promulgan. Si las normas son vulneradas, seguirán dependiendo en última instancia del poder coercitivo de las naciones que las dotaron de autoridad. Hoy en día existe un gran corpus de derecho internacional, como el *acquis communautaire* (acervo comunitario) de la Unión Europea, que desplaza a las leyes de rango nacional en muchos ámbitos. No obstante, el derecho internacional continúa dependiendo en última instancia de su aplicación a nivel nacional. Cuando Estados miembros de la Unión Europea discrepan sobre cuestiones políticas importantes, como sucedió durante la crisis del euro de 2010 o la crisis migratoria de 2014, los resultados definitivos no proceden de la ley europea, sino del poder relativo de los Estados miembros. El poder final, dicho de otro modo, sigue siendo competencia de los Estados nacionales, lo que significa que el control del poder a ese nivel es fundamental.

Por consiguiente, no existe necesariamente una contradicción entre el universalismo liberal y la necesidad de las naciones. Si bien los derechos humanos pueden ser un valor normativo universal, el poder para aplicarlos no lo es; se trata de un recurso escaso aplicado necesariamente de manera delimitada territorialmente. Los Estados liberales están perfectamente justificados al otorgar diferentes niveles de derechos a los ciudadanos y a los no ciudadanos, ya que no disponen de los recursos ni de la autoridad para proteger los derechos a nivel universal. Todas las personas del territorio del Estado tienen derecho a la misma protección legal, pero sólo los ciudadanos son miembros de pleno derecho del contrato social con derechos y deberes especiales, en particular el derecho al voto.

El hecho de que las naciones sigan siendo el centro neurálgico del poder coercitivo debería hacer que fuéramos cautelosos a la hora de proponer la creación de nuevos órganos supranacionales y delegar en ellos ese poder.

Tenemos varios cientos de años de experiencia en el aprendizaje de cómo limitar el poder a nivel nacional mediante instituciones legales y legislativas, y cómo equilibrar el poder de manera que su uso refleje el interés general. No tenemos ni idea de cómo crear esas instituciones a nivel global, para que, por ejemplo, un tribunal o una asamblea legislativa mundial sean capaces de limitar las decisiones arbitrarias de un poder ejecutivo mundial. La Unión Europea es el intento más serio de llevar a cabo ese objetivo a nivel regional; el resultado es un sistema desmañado caracterizado por una excesiva debilidad en algunos ámbitos (política fiscal, asuntos exteriores) y un excesivo poder en otros (regulación económica). Al menos, Europa a posee cierta historia e identidad comunes, algo que no existe a escala mundial.[97]

Las naciones no sólo son importantes porque son el centro neurálgico del poder legítimo e instrumentos para controlar la violencia. También son una fuente singular de comunidad. En cierta medida, el universalismo liberal va en contra de la naturaleza de la sociabilidad humana. Sentimos los lazos de afecto más fuertes por aquellos más próximos a nosotros, como amigos y familiares; en tanto que se amplía el círculo de conocidos, nuestra sensación de compromiso se atenúa de manera inevitable. A medida que las sociedades humanas se han hecho más amplias y complejas con el paso de los siglos, los límites de la solidaridad se han expandido drásticamente de las familias, los pueblos y las tribus hasta naciones enteras. Sin embargo, pocas personas aman a la humanidad en su conjunto. Para la mayoría de la gente del mundo, la nación sigue siendo la mayor unidad de solidaridad por la que siente una lealtad instintiva. De hecho, esa lealtad se convierte en un apoyo fundamental de la legitimidad del Estado y, por tanto, de su capacidad para gobernar. Hoy en día, en todo el mundo, vemos las desastrosas consecuencias de las sociedades con una identidad nacional débil; desde Estados en apuros en vías de desarrollo como Nigeria o Birmania, hasta Estados fallidos como Siria, Libia o Afganistán.[98]

97. Véase la entrevista de Nils Gilman y Jonathan S. Blake «Francis Fukuyama: Will We ever Get Beyond the Nation-State?», *Noema Magazine*, 29 de abril de 2021.

98. Véase Fukuyama, Francis, «Why National Identity Matters», en Uslaner, Eric M. y Nils Holtug, *National Identity and Social Cohesion*, Rowman and Littlefield, Londres y Nueva York, 2021.

Este argumento podría parecer similar a los planteados por Yoram Hazony en su libro de 2018 *La virtud del nacionalismo*, donde aboga por un orden social mundial basado en la soberanía de los Estados nación.[99] Tiene razón al advertir de la tendencia de países liberales como Estados Unidos a extralimitarse a la hora de tratar de rehacer al resto del mundo a su imagen. Con todo, se equivoca al asumir que las naciones son unidades culturales claramente definidas y que puede construirse un orden mundial pacífico aceptándolas tal como son. En la actualidad, las naciones son construcciones sociales que son consecuencia de guerras históricas que, a menudo, han conllevado conquistas, violencia, asimilación forzada y la manipulación deliberada de símbolos culturales. Existen formas mejores y peores de identidad nacional, y las sociedades pueden decidir con libertad cuáles elegir.

En concreto, si la identidad nacional está basada en características fijas como la raza, el origen étnico o la tradición religiosa, se convierte en una categoría potencialmente excluyente que vulnera el principio liberal de igual dignidad. De manera que, si bien no existe *necesariamente* una contradicción entre la necesidad de identidad nacional y de un universalismo liberal, sí que hay un poderoso punto de tensión entre los dos principios. Bajo esas condiciones, la identidad nacional puede convertirse en un nacionalismo agresivo y exclusivo, como sucedió en Europa durante la primera parte del siglo XX.

Por esta razón, desde un punto de vista normativo, las sociedades liberales no deberían reconocer a grupos basados en identidades fijas como la raza, el origen étnico o la tradición religiosa. Sin embargo, hay veces en que esto resulta inevitable y los principios liberales no son de aplicación. Hay muchas partes del mundo en las cuales grupos étnicos y religiosos llevan ocupando el mismo territorio desde hace generaciones y tienen sus propias y sólidas tradiciones culturales y lingüísticas.

99. Véanse Hazony, *La virtud del nacionalismo*, *op. cit.*; Rauch, *The constitution of knowledge*, *op. cit.* e Yglesias, Matthew, «Hungarian Nationalism is not the Answer», *Slow Boring*, 6 de agosto de 2021.

En muchas partes de Oriente Próximo, de los Balcanes, del Sudeste Asiático y del sur de Asia, las identidades étnicas o religiosas son de hecho una característica esencial para la mayoría de la gente, y asimilarlas a una cultura nacional más amplia es extremadamente poco realista. Es posible organizar una forma de política liberal en torno a unidades culturales; la India, por ejemplo, reconoce múltiples lenguas nacionales, y en el pasado ha permitido a sus estados determinar sus propias políticas en lo tocante a la educación y a los sistemas legales. El federalismo y el traspaso de poderes a unidades subnacionales resultan a menudo necesarios en países con tanta diversidad. Formalmente, el poder puede asignarse a grupos diferentes definidos por su identidad cultural en una estructura denominada por los científicos políticos «consociativismo». Si bien esto ha funcionado razonablemente bien en los Países Bajos, la práctica ha sido desastrosa en lugares como Líbano, Bosnia e Irak, donde los grupos identitarios se consideran atrapados en una lucha de suma cero en la que se enfrentan unos con otros. En las sociedades en las que los grupos culturales todavía no se han consolidado en unidades egocéntricas, es mucho mejor tratar a los ciudadanos como individuos que como miembros de grupos identitarios.

Por otro lado, hay otros aspectos de la identidad nacional que pueden adoptarse de forma voluntaria y que, por tanto, son más ampliamente compartidos, que van desde las tradiciones literarias y las narraciones históricas comunes o la lengua hasta la gastronomía y los deportes.

Quebec, Escocia y Cataluña son regiones con tradiciones históricas y culturales diferenciadas, y todas ellas tienen grupos nacionalistas que aspiran a separarse del todo del país al que están vinculadas. No hay demasiadas dudas de que continuarían siendo sociedades liberales que respetarían los derechos individuales en caso de independizarse, como hicieron la República Checa y Eslovaquia después de convertirse en países separados. Esto no significa que la separación sea deseable, sino simplemente que no tiene por qué contradecir los principios liberales. Existe una gran laguna en la teoría liberal relativa a cómo abordar ese tipo de demandas y cómo definir las fronteras nacionales de Estados fundamentalmente liberales. Los resultados se han determinado menos sobre la base de los principios que como resultado del tira y afloja de varias consideraciones económicas y políticas pragmáticas.

La identidad nacional entraña peligros evidentes, pero también una oportunidad. La identidad nacional es un constructo social y puede moldearse para respaldar los valores liberales en lugar de socavarlos. Históricamente, las naciones se han formado a partir de poblaciones diversas, las cuales pueden tener un fuerte sentimiento de comunidad basado en principios o ideales políticos más que en categorías colectivas que les han sido atribuidas. Estados Unidos, Francia, Canadá, Australia y la India son países que, en las últimas décadas, han tratado de construir identidades nacionales basadas más en principios políticos que en la raza, el origen étnico o la religión. Estados Unidos ha pasado por un proceso largo y doloroso para redefinir lo que significaba ser estadounidense, eliminando progresivamente barreras a la nacionalidad basadas en la clase social, la raza y el sexo; un proceso que ha sufrido contratiempos y aún no ha concluido. En Francia, la construcción de una identidad nacional se inició con la Declaración de los Derechos del Hombre y del Ciudadano de la Revolución francesa, la cual estableció un ideal de ciudadanía basado en una lengua y una cultura comunes. A mediados del siglo XX, tanto Canadá como Australia eran países con una población blanca mayoritaria y leyes restrictivas en relación con la inmigración y la nacionalidad, como la tristemente célebre política de la «Australia blanca». Ambos países reconstruyeron sus identidades nacionales según directrices no raciales después de la década de 1960 y, al igual que Estados Unidos, se abrieron a la inmigración masiva. Hoy en día, ambos países presentan niveles de población nacida en el extranjero más elevados que los de Estados Unidos, con menos polarización y rechazo por parte de la población blanca que en este último país.

Sin embargo, no deberíamos subestimar la dificultad de forjar una identidad común en democracias fuertemente divididas. A menudo olvidamos el hecho de que la mayoría de las sociedades liberales contemporáneas fueron construidas sobre naciones históricas cuya concepción de la identidad nacional se había forjado mediante métodos iliberales. Francia, Alemania, Japón y Corea del Sur eran naciones antes de convertirse en democracias liberales; Estados Unidos, como muchos han señalado, era un Estado antes de convertirse en nación.[100] El proceso para definir la nación en términos políticos ha sido largo, arduo y periódicamente violento, e incluso en la actualidad es cuestionado por personas tanto de izquierdas como de derechas, con discursos claramente contradictorios sobre los orígenes del país.

Si el liberalismo no se considerara más que un mecanismo para gestionar la diversidad de manera pacífica, sin un sentimiento de finalidad más amplio, podría interpretarse como una importante debilidad política. Las personas que han sido víctimas de la violencia, de la guerra o de la dictadura, anhelan vivir en una sociedad liberal, como sucedió en el caso de los europeos en el período posterior a 1945. Sin embargo, a medida que la gente se acostumbra a una vida pacífica en un régimen liberal, tiende a no valorar la paz y el orden y empieza a anhelar una política que la conduzca a objetivos más elevados. En 1914, Europa llevaba casi un siglo sin conflictos devastadores, y multitud de personas desfilaron encantadas a la guerra a pesar de los enormes avances materiales que se habían producido en el ínterin.

Tal vez nos encontramos en un punto parecido de la historia de la humanidad, en el cual el mundo lleva tres cuartos de siglo sin conflictos bélicos interestatales a gran escala, y durante ese tiempo se ha experimentado un enorme aumento de la prosperidad a escala mundial que ha traído consigo un cambio social de igual magnitud. La Unión Europea fue creada como un antídoto contra el nacionalismo que había provocado las guerras mundiales y, en ese sentido, su éxito ha superado todas las expectativas. No obstante, las expectativas han aumentado aún más rápido. Los jóvenes no agradecen a la Unión Europea que haya creado paz y prosperidad; por el contrario, les molestan sus pequeñas

100. Véase, por ejemplo, Lipset, Seymour Martin, *El excepcionalismo norteamericano: una espada de dos filos*, traducción de Mónica Utrilla, Fondo de Cultura Económica, Ciudad de México, 2010.

imposiciones burocráticas. El débil sentimiento de comunidad en el núcleo del liberalismo se convierte en una carga muy pesada en esas condiciones.

La percepción positiva de la identidad nacional se debe a mucho más que a la eficiente gestión de la diversidad y a la ausencia de violencia. Los liberales han tendido a evitar los llamamientos al patriotismo y a las tradiciones culturales, pero no deberían hacerlo. La identidad nacional como rasgo de una sociedad liberal y abierta es algo de lo que los liberales pueden sentirse legítimamente orgullosos, y su tendencia a minimizar la identidad nacional ha permitido a la extrema derecha reivindicar ese espacio. Los privilegios otorgados a los ciudadanos han sido erosionados de forma constante por los tribunales en Europa y Estados Unidos en las últimas décadas, e incluso la distinción residual entre ciudadano y no ciudadano, el derecho al voto, ha sido cuestionada.[101] La ciudadanía debería expresar un acuerdo bilateral sobre la aceptación del contrato social y, por otra parte, debería ser motivo de orgullo. La promesa de una identidad estadounidense liberal fue plasmada por el novelista Michael Shaara en los pensamientos atribuidos al coronel Joshua Lawrence Chamberlain, el oficial de la Unión cuyas acciones decidieron el resultado de la batalla de Gettysburg durante la guerra de Secesión:

> [Chamberlain] Había crecido creyendo en América y en el individuo, y era una fe más fuerte que la que profesaba a Dios. Ésta era la tierra donde ningún hombre tenía que agachar la cabeza. Aquí uno podía liberarse por fin del pasado, de la tradición y los lazos de sangre y la maldición de la realeza, y convertirse en lo que quisiera... El hecho de que existiera la esclavitud en esta nueva tierra tan limpia e increíblemente hermosa era espantoso, pero más aún lo era el horror de la vieja Europa, la maldición de la nobleza, que el sur estaba trasplantando a suelo nuevo... Pero combatía por la dignidad del hombre y en cierto modo combatía por él mismo.[102]

101. Véase Hazony, *La virtud del nacionalismo*, *op. cit.*

102. Michael Shara, *The killer angels*, Ballantine Books, Nueva York, 1974, p. 27

Históricamente, las sociedades liberales han sido los motores del crecimiento económico, creadoras de nuevas tecnologías y productoras de artes y cultura dinámicas. Esto *se ha debido* precisamente a que eran liberales. La lista empezaría por la antigua Atenas, elogiada por Pericles con las siguientes palabras:

> Tenemos una forma de gobierno [...que] se denomina democracia. En ella, a pesar de que exista igualdad entre todos los hombres en cuanto a la ley para resolver sus controversias particulares, a la hora de otorgar privilegios un hombre es preferido a otro para ocupar un cargo público en función de la reputación, no de su casa, sino de sus virtudes; y no es descartado por el hecho de ser pobre o de tratarse de una persona desconocida, siempre y cuando pueda prestar un servicio adecuado a la comunidad. Y no sólo somos libres en la administración del Estado, sino también unos respecto a otros, sin celos en la vida cotidiana; sin ofendernos porque cualquier hombre siga los dictados de su propio temperamento [...].[103]

Las ciudades-Estado del norte de Italia, como Florencia, Génova y Venecia, eran más oligarquías que democracias, pero mucho más liberales que las monarquías centralistas y los imperios que las rodeaban, y a partir del Renacimiento se convirtieron en centros del pensamiento y de las artes. Los neerlandeses liberales experimentaron una época dorada en el siglo XVII, y la Gran Bretaña liberal fue la generadora de la Revolución Industrial. La Viena liberal fue la patria de Gustav Mahler, Sigmund Freud y Hugo von Hofmannstahl, hasta que entró en decadencia a principios del siglo XX con el auge del nacionalismo alemán, entre otros. Y los Estados Unidos liberales, a su vez, se convirtieron en el principal productor de una cultura global, del jazz a Hollywood, pasando por el hiphop, Silicon Valley e internet, durante las décadas en las que acogió a refugiados de sociedades cerradas.

Es precisamente la capacidad de una sociedad liberal para incubar innovación, tecnología, cultura y crecimiento sostenible

103. Richard Schlatter, ed., *Hobbes's Thucydides*, Rutgers University Press, New Brunswick (Nueva Jersey), 1975, pp. 131-132.

la que determinará la geopolítica del futuro. Bajo el mando de Xi Jinping, China ha sostenido que puede convertirse en la potencia dominante del mundo bajo un sistema autoritario, y que Occidente, y en especial Estados Unidos, se encuentra en una situación de decadencia terminal. Lo que no sabemos en la actualidad es si ese modelo político y económico privado de libertad será capaz de generar innovación y crecimiento con el tiempo ni si producirá algo parecido a una cultura global atractiva. Gran parte de la increíble historia de crecimiento de China a lo largo de las cuatro últimas décadas ha sido producto de su propio coqueteo con el liberalismo, de la apertura de la economía china que se inició con las reformas de Deng Xiaoping en 1978 y de la creación de un vibrante sector privado. Es ese sector privado y no las renqueantes empresas de titularidad pública del país el responsable de la mayor parte de su crecimiento tecnológico. Hoy en día, China es ampliamente admirada por su éxito económico y su competencia tecnológica. Su modelo social restringido es mucho menos respetado, y no hay millones de personas deseosas de convertirse en ciudadanos chinos.

La pregunta que queda por responder para el futuro es si las sociedades liberales pueden superar las divisiones internas que ellas mismas han creado. Lo que empezó como un mecanismo institucional para gobernar ante la diversidad ha generado nuevas formas de diversidad que ponen en peligro esos mismos mecanismos. De modo que las sociedades liberales tendrán que corregir su trayectoria si quieren competir con las pujantes potencias autoritarias del mundo.

10

Principios para una sociedad liberal

El presente libro ha tratado de sentar las bases teóricas del liberalismo clásico y exponer algunas de las razones por las cuales ha generado desencanto y oposición. Si queremos preservar el liberalismo como forma de gobierno, tenemos que entender las causas de dicho desencanto. Esa visión podría dar origen a una lista interminable de respuestas políticas que podrían mitigar las animadversiones y las inseguridades actuales, en temas que van desde el empleo, la política sanitaria y los impuestos hasta la vigilancia policial, la inmigración y la regulación de internet. En lugar de eso, me gustaría apuntar algunos principios generales que deberían guiar la formulación de políticas más específicas; principios que emanan de la teoría subyacente.

Muchos de esos principios serán especialmente aplicables en Estados Unidos. Durante mucho tiempo, este país ha sido la principal potencia liberal del mundo, y en los últimos años ha sido un «faro de libertad» para muchas personas de todo el planeta. He afirmado en otras ocasiones que las instituciones estadounidenses han decaído con el tiempo, volviéndose más rígidas y difíciles de reformar, y que están siendo monopolizadas por las élites. Cuando su compleja estructura constitucional de controles y contrapesos se ha combinado con una creciente polarización política, sus instituciones se han paralizado y no han logrado abordar muchas tareas de gobierno, como, por ejemplo, aprobar los presupuestos anuales. Se trata de una condición denominada «vetocracia».[104] Si Estados Unidos no soluciona sus problemas estructurales subyacentes, no será capaz de competir eficazmente con las pujantes potencias autoritarias del mundo. Muchos de los problemas observados en Estados Unidos afectan también a otras democracias, de manera que su capacidad para articular y defender principios liberales podría tener un ámbito de aplicación más amplio.

Si bien el liberalismo clásico podría entenderse como un medio para gobernar en la diversidad, tanto a la derecha nacionalista populista como a la izquierda progresista les cuesta aceptar la diversidad real existente en la sociedad. El núcleo duro de la derecha nacionalista populista lo forman los que cabría denominar como «etnonacionalistas», los cuales estaban ampliamente representados entre los alborotadores que invadieron el Capitolio de Estados Unidos el 6 de enero de 2021. La diversidad a la que tienen miedo tiene que ver con categorías como la raza, el origen étnico, el sexo, la religión y la orientación sexual. Esos miedos están alimentados por la cambiante composición demográfica de Estados Unidos, así como por la posibilidad de que personas como ellas sean «sustituidas» por inmigrantes no blancos o por progresistas laicos militantes cuyo número aumenta constantemente en la América urbana.

El desafío al que se enfrentan hoy en día los conservadores estadounidenses no es muy diferente del que históricamente han afrontado otros conservadores, los cuales han tenido siempre que lidiar con una demografía y un cambio social en constante evolución. En la Europa del siglo XIX y principios del XX, la principal base de los partidos conservadores en el Reino Unido y Alemania eran terratenientes que dependían de la jerarquía social existente, así como determinados grupos aristocráticos y de clase media que consideraban la industrialización una amenaza a su modo de vida. Todas las sociedades estaban experimentando un rápido cambio social a medida que los campesinos abandonaban el campo y aumentaba la población urbana. Esa población urba-

104. Véase Fukuyama, *Orden y decadencia de la política*, *op. cit.*

na se movilizó cada vez más: los sindicatos también se estaban empezando a formar, y los partidos socialistas y comunistas crecían sobre la base de esa nueva clase trabajadora. Argentina se enfrentó a una situación parecida a principios del siglo XX, con una clase formada por grandes terratenientes temerosos del aumento de un proletariado urbano organizado por partidos de izquierda, grupos cuyo porcentaje de votos aumentaba constantemente en sucesivas elecciones.

Los conservadores tienen dos opciones ante el cambio demográfico. Por un lado, podrían avanzar en una dirección manifiestamente autoritaria y hacerse sencillamente con el poder, eliminando las elecciones democráticas o embarcándose en una tosca manipulación de los resultados electorales. Al principio, los conservadores alemanes intentaron controlar el derecho de sufragio y limitar el poder legislativo después de la unificación del país llevada a cabo por Bismarck en 1871. Posteriormente, muchos conservadores alemanes acabaron apoyando a Hitler y a su Partido Nazi como una alternativa preferible a la extrema izquierda. En Argentina, los conservadores apoyaron un golpe de Estado militar en 1930, el primero de los varios que tuvieron lugar a lo largo de las dos generaciones siguientes.

Por otro lado, los conservadores británicos reaccionaron de manera diferente al aceptar y tratar de gestionar el cambio social. Fue el primer ministro conservador Benjamin Disraeli quien impulsó la Ley de la Segunda Reforma en 1867, la cual amplió enormemente el derecho al voto. Fue acusado de traidor a su clase social por correligionarios conservadores. Sin embargo, como ha expuesto Daniel Ziblatt, Disraeli sentó las bases para la posterior dominación conservadora de la política británica durante el resto del siglo XIX.[105] Resultó que los electores que acababan de adquirir el derecho al voto encontraron muchas otras razones para apoyar a políticos conservadores, como el énfasis en el patriotismo y su apoyo al Imperio. Fueron los conservadores quienes consolidaron la democracia británica al asumir el aumento

105. Ziblatt, Daniel, *Conservative Parties and the Birth of Democracy*, Cambridge University Press, Nueva York, 2017.

de la diversidad de clases de su sociedad y el cambio social en el que se basaba.

Los conservadores estadounidenses contemporáneos se enfrentan hoy en día a una elección parecida. Los extremistas conservadores se han convencido a sí mismos de que es posible que la violencia sea la única forma de protegerse frente a la izquierda. Es muy poco probable que este grupo sea alguna vez capaz de implicar al ejército de Estados Unidos en una toma del poder fuera de los cauces democráticos. Sin embargo, teniendo en cuenta el volumen de posesión de armas entre la población, resulta fácil prever que la violencia absoluta pueda convertirse en un problema constante.

La amenaza más significativa es, con mucha diferencia, el descarado intento por parte de los conservadores de limitar el derecho al voto y manipular las elecciones. Esto empezó mucho antes de las elecciones de noviembre de 2020, pero se ha convertido en una de las principales preocupaciones de ese partido, basada en la afirmación falsa de Donald Trump de haber sido víctima de un fraude electoral masivo. Como el propio Trump admitió, si todos los estadounidenses con derecho a votar votasen, «nunca volvería a ser elegido un republicano en este país».[106]

En principio, muchos de los conservadores partidarios de este programa no han roto con la idea de democracia. Creen sinceramente que las elecciones fueron amañadas por el partido contrario porque su antiguo presidente y sus medios de comunicación se lo han dicho. Más que tener instintos autoritarios, son producto de un sistema de información y de medios de comunicación que ratifica sus preferencias previas y las respalda mediante un razonamiento motivado. El resultado, con todo, es antidemocrático; no sólo prevé la necesidad de anular futuros resultados electorales, sino que ha convertido el Partido Republicano en un partido antidemocrático.

Ni que decir tiene que recurrir a esos métodos no es una fórmula para una política sana y que crea una amenaza existencial

106. Declarado en el programa «Fox & Friends» (de Fox News), el 30 de marzo de 2020.

a la democracia liberal estadounidense. En lugar de eso, los conservadores podrían fijarse en una página del manual de Disraeli y asumir el cambio demográfico, reconociendo que muchos votantes podrían sentirse atraídos no por la política identitaria de derechas, sino por políticas conservadoras. Las elecciones de 2020 vieron cómo muchos grupos minoritarios aumentaban su apoyo a candidatos republicanos; esto parece indicar que muchos de ellos tienen razones para votar a los republicanos aparte de la aprobación de su programa etnonacionalista. Muchos grupos de inmigrantes recientes son conservadores desde un punto de vista social, y continúan aceptando una versión más antigua del sueño americano en lugar de la planteada por la política identitaria de extrema izquierda. Podría servir como base de una mayoría conservadora genuina y no la que surgió como producto de la manipulación del sistema electoral.

Esto es lo que significaría para los conservadores asumir los principios liberales clásicos: hay que aceptar el hecho de la diversidad demográfica y utilizarlo para respaldar valores conservadores que no están ligados a aspectos fijos de la identidad.

Existe un problema paralelo en la izquierda progresista en cuanto a su incapacidad de asumir la auténtica diversidad del país. Para este grupo, la diversidad se refiere principalmente a tipos específicos de diferencias sociales relativas a la raza, el origen étnico, el sexo y la orientación sexual. A menudo no se incluye la diversidad política ni la diversidad de opiniones religiosas si estas últimas corresponden a cristianos conservadores. La teoría crítica ha erigido una gran estructura intelectual que permite a los progresistas descartar por completo ese elemento de la sociedad como parte de una estructura de poder racista y patriarcal que se aferra de manera ilegítima a sus antiguos privilegios. Las convicciones religiosas profundas en temas como el aborto y el matrimonio homosexual no representan una interpretación alternativa aceptable de temas morales importantes, sino que son meros ejemplos de intolerancia y prejuicios que tienen que ser erradicados.

Los progresistas, por su parte, tendrán que aceptar el hecho de que alrededor de la mitad de los votantes del país no están de acuerdo ni con sus objetivos ni con sus métodos y que es muy poco probable que estos últimos sean derrotados en las urnas a corto plazo. Los conservadores tienen que asumir la cambiante mezcla racial y étnica del país, el hecho de que las mujeres continúen ocupando gran cantidad de cargos, tanto en el ámbito profesional como en el privado, y que los roles de género han cambiado profundamente. En el fondo, ambos bandos albergan la esperanza de que una gran mayoría de sus conciudadanos estén en su fuero interno de acuerdo con ellos y que lo único que les impide expresar su acuerdo es la manipulación de los medios de comunicación y la falsa conciencia divulgada por diversas élites. Se trata de una artimaña peligrosa que permite a los partidarios desear que desaparezca la diversidad real existente. El liberalismo clásico es hoy más necesario que nunca, porque Estados Unidos es más diverso que nunca, así como otras democracias liberales.

Hay varios principios liberales generales que podrían contribuir a gestionar esas diferentes formas de diversidad. En primer lugar, los liberales clásicos tienen que admitir la necesidad de gobierno y superar la época neoliberal en la que el Estado era demonizado como un enemigo inevitable del crecimiento económico y la libertad individual. Por el contrario, para que una sociedad liberal moderna funcione adecuadamente, tiene que haber un alto nivel de confianza en el gobierno; no una confianza ciega, sino una confianza fruto del reconocimiento de que el gobierno trabaja en pos de objetivos públicos esenciales. Hoy en día, en Estados Unidos nos encontramos en un punto en el que una parte de los ciudadanos albergan las ideas conspirativas más extravagantes sobre las formas en que el gobierno está siendo manipulado por élites sombrías para arrebatarles sus derechos, y se están armando para cuando llegue el momento en que tengan que defenderse contra el Estado mediante el uso de la fuerza. El miedo y la aversión al Estado han existido también en la izquierda: muchos creen que el Estado ha sido tomado por poderosos grupos de interés, que la CIA y la Agencia de Seguridad Nacional continúan vigilando y socavando los derechos de los ciudadanos corrientes y que la labor de la policía consiste principalmente en imponer los privilegios blancos. Ambos bandos tienden a desestimar el Estado por incompetente, corrupto e ilegítimo.

La cuestión urgente para los Estados liberales no tiene que ver con el tamaño o el alcance del gobierno por el que la izquierda y la derecha llevan años combatiendo. La cuestión es la calidad de dicho gobierno. No hay forma de eludir la necesidad de un Estado capaz, es decir, de un gobierno que disponga de recursos humanos y materiales suficientes para prestar los servicios necesarios a su población. Un Estado moderno tiene que ser *impersonal*, lo que significa que trata de relacionarse con los ciudadanos de manera equitativa y uniforme, sin basarse en vínculos personales, políticos o familiares con los políticos que ostentan el poder en un momento dado. Los Estados modernos tienen que afrontar toda una serie de cuestiones políticas complejas, desde la política macroeconómica y sanitaria hasta la regulación del espectro electromagnético y la previsión del tiempo, y necesitan tener acceso a profesionales formados con una gran vocación de servicio público si quieren desempeñar bien su cometido.

Los Estados liberales han tenido mucho éxito a la hora de generar crecimiento económico a largo plazo, pero el PIB no puede considerarse la única medida del éxito. La distribución de ese beneficio y el mantenimiento de un nivel de ingresos y de la igualdad de riqueza es importante tanto por razones económicas como políticas. Si la desigualdad se vuelve extrema, la demanda agregada se estanca y aumenta el rechazo político al sistema. La idea de redistribución de la riqueza o de los ingresos ha sido un sacrilegio para muchos liberales, pero la realidad es que todos los Estados modernos redistribuyen sus recursos en mayor o menor grado. La tarea consiste en establecer protecciones a un nivel sostenible, en el cual no se recorten los incentivos y que pueda ser soportado por las finanzas públicas a largo plazo.

Otro principio liberal es tomarse en serio el federalismo (o, en términos europeos, la subsidiariedad) y transferir el poder a los niveles inferiores del gobierno que sean apropiados. Muchas políticas federales ambiciosas en áreas como la asistencia sanitaria y el medio ambiente fueron introducidas con la esperanza de que se aplicasen de manera uniforme a nivel estatal. Tomarse el federalismo en serio significa transferir a niveles inferiores del gobierno una amplia serie de cuestiones y permitir que esos niveles reflejen las elecciones de los ciudadanos. Si bien lo más deseable sería contar con estándares comunes en ámbitos políticos como la salud o el medio ambiente, el autogobierno democrático debería tener prioridad sobre la uniformidad de aplicación, por muy deseable que ésta sea. En Estados Unidos, en general, los estados federados, los condados y los municipios tienen que abordar problemas inmediatos como la recogida de basuras y la vigilancia policial, y, por tanto, tienden a ser más pragmáticos en sus enfoques. Uno de los problemas principales de los últimos años en la política estadounidense es la forma en que esos niveles locales se han contaminado de la polarización existente a nivel estatal, un proceso que ha obstaculizado su capacidad de responder a las condiciones locales.

Existen, sin embargo, determinadas decisiones a nivel estatal que ponen realmente en peligro derechos constitucionales fundamentales y afectan al carácter básico de la propia democracia liberal. «Derechos de los estados» era el estandarte bajo el cual se defendía la esclavitud y, posteriormente, las leyes Jim Crow, y el gobierno federal desempeñó un papel fundamental a la hora de obligar a los estados a aceptar la igualdad legal de los afroamericanos. Por desgracia, este tema está reapareciendo en la política estadounidense. Las asambleas legislativas republicanas de muchos estados han promulgado o propuesto leyes que, en la práctica, podrían hacer posible anular los resultados de elecciones democráticas y dificultar el voto, especialmente para los afroamericanos. El derecho al voto está garantizado de manera incuestionable en la quinta enmienda de la Constitución estadounidense. El derecho de sufragio es un derecho fundamental que tiene que ser defendido por el poder del gobierno nacional.

Un tercer principio liberal general al que hay que atenerse es la necesidad de proteger la libertad de expresión, determinando adecuadamente sus límites. La libertad de expresión se ve amenazada por los gobiernos, los cuales continúan siendo el principal motivo de preocupación. Con todo, también puede verse amenazada por el poder particular, bajo la forma de compañías de comunicaciones y plataformas de internet que amplifican artificialmente unas voces por encima de otras. La respuesta apropiada a esto no es la regulación directa por parte de los Estados de la libertad de expresión de esos actores privados, sino más bien la prevención de grandes acumulaciones de poder privado, mediante leyes antimonopolio y reguladoras de la competencia.[107]

Las sociedades liberales tienen que respetar un ámbito de privacidad que rodea a todo individuo. La privacidad constituye una condición necesaria para el debate democrático, y es el acuerdo que se requiere si se espera que los individuos expresen sus opiniones honestamente. Es, asimismo, una consecuencia del principio liberal de la tolerancia. De conformidad con la verdadera diversidad de una sociedad, los ciudadanos *no* están obligados a mantener un pensamiento uniforme. Ése es el principio subyacente en la primera enmienda de la Constitución de Estados Unidos, así como el derecho a la libertad de expresión consagrado en otras leyes fundamentales de todo el mundo. Sin embargo, en los últimos años, el gobierno federal de Estados Unidos se ha acercado peligrosamente al extremo de regular no sólo la conducta sexual de los jóvenes, sino incluso la propia concepción de la sexualidad.[108]

No obstante, la expresión —y especialmente la expresión pública— tienen que regirse por una serie de normas, algunas promulgadas por el Estado y otras aplicadas de manera mucho más adecuada por entidades privadas. Aunque las sociedades liberales discrepen en cuanto a los fines últimos, no pueden funcionar si no se ponen de acuerdo en los hechos básicos y en invertir su tendencia al relativismo epistémico. Existen técnicas bien definidas para determinar la información fáctica, técnicas que han sido

107. Una forma de reducir el poder de las plataformas de internet sobre el discurso político es crear una capa competitiva de compañías de *middleware* a las que encargar la autenticación de los contenidos. Véase Fukuyama, Francis, «Making the Internet Safe for Democracy», *Journal of Democracy*, 32 (2021), pp. 37-44.

108. Melnick, R. Shep, *The Transformation of Title IX: Regulating Gender Equality in Education*, Brookings Institution Press, Washington, D. C., 2018.

utilizadas durante años en los procesos judiciales, en el periodismo profesional y en la comunidad científica. El hecho de que periódicamente se demuestre que algunas de esas instituciones están equivocadas o son tendenciosas no significa que tengan que perder su categoría de fuentes de información, ni que cualquier opinión alternativa expresada en internet sea igual de válida que otra. Hay otras normas necesarias que promueven el civismo y el discurso razonado que constituyen la base del debate democrático en una sociedad liberal. Las normas relativas a la expresión pública deberían, asimismo, ser de aplicación universal; la identidad del hablante no debería determinar lo que está autorizado a decir.

Un cuarto principio liberal hace referencia a la constante primacía de los derechos individuales sobre los de los grupos culturales. Esto no contradice las observaciones realizadas con anterioridad en el presente libro sobre hasta qué punto el individualismo es un fenómeno históricamente contingente y, a menudo, contrario a las inclinaciones y facultades humanas del comportamiento social. A pesar de todo, hay diversas razones por las cuales nuestras instituciones tienen que centrarse en los derechos individuales en lugar de hacerlo en los de los grupos.

Las personas no están nunca plenamente definidas por la pertenencia a un grupo, y continúan ejerciendo su voluntad individual. Puede ser importante entender de qué formas han sido moldeadas por sus identidades grupales, pero el respeto social debería también tener en cuenta sus elecciones individuales. El reconocimiento grupal amenaza con no remediar, sino agravar las diferencias grupales. La desigualdad en los resultados del grupo es un efecto secundario de múltiples factores sociales y económicos que interactúan, la corrección de muchos de los cuales está muy lejos del alcance de la política. Las políticas sociales deberían tratar de igualar los resultados de toda la sociedad, pero deberían centrarse en categorías fluidas, como la clase, en lugar de en otras fijas, como la raza o el origen étnico.

Aunque puede que el individualismo sea históricamente contingente, se ha incorporado de manera tan profunda a la idea que tienen las personas modernas de sí mismas que resulta dificil ver cómo revertirlo. Las economías de mercado modernas dependen notablemente de la flexibilidad, de la movilidad laboral y de la innovación. Si las transacciones tienen que producirse dentro de unos límites culturales definidos, el tamaño de los mercados y el tipo de innovación que surge de la diversidad serán necesariamente limitados. El individualismo no es una característica cultural fija de la cultura occidental, tal como alegan ciertas versiones de la teoría crítica. Es una consecuencia de la modernización socioeconómica que tiene lugar de manera gradual en diferentes sociedades.

Un último principio liberal tiene que ver con el reconocimiento de que la autonomía humana no es ilimitada. Las sociedades liberales asumen la igualdad de la dignidad humana, una dignidad enraizada en la capacidad del individuo para tomar decisiones. Por esa razón, se comprometen a proteger esa autonomía como un derecho fundamental.

No obstante, aunque la autonomía sea un valor liberal básico, no es el único bien que prevalece automáticamente sobre todo el resto de las consideraciones de la vida buena. Como hemos visto, el ámbito de la autonomía se ha expandido de modo constante a lo largo del tiempo, pasando de la libertad para obedecer normas dentro de un marco moral existente a elaborar esas normas para uno mismo. Sin embargo, el respeto por la autonomía pretendía gestionar y moderar la competencia de creencias profundamente arraigadas y no desplazar dichas creencias en su totalidad. No todos los seres humanos creen que maximizar su autonomía personal sea el objetivo más importante de la vida, ni que alterar cualquier forma de autoridad sea necesariamente algo bueno. A muchas personas les parece bien limitar su libertad de elección al aceptar marcos religiosos y morales que las conectan con otras personas, o vivir según tradiciones culturales heredadas. La primera enmienda estadounidense tenía por objeto proteger el libre ejercicio de la religión, no proteger a los ciudadanos *de* la religión.

Las sociedades liberales consolidadas tienen su propia cultura y su propia concepción de la vida buena, aun cuando esa concepción pueda ser más reducida que la que proporcionan las sociedades unidas por una única doctrina religiosa. No pueden ser neutrales por lo que respecta a los valores necesarios para mantenerse como sociedades liberales. Tienen que dar prioridad a la solidaridad, la tolerancia, la amplitud de miras y a la implicación activa en los asuntos públicos si quieren ser coherentes. Tienen que dar prioridad a la innovación, la iniciativa y la asunción de riesgos si quieren prosperar económicamente. Una sociedad de individuos encerrados en sí mismos, interesados únicamente en maximizar su consumo personal no será una sociedad en absoluto.

Los seres humanos no son agentes libres capaces de remodelarse como les parezca; eso sucede sólo en los mundos virtuales de internet. Estamos limitados en primer lugar por nuestros cuerpos físicos. La tecnología ha contribuido enormemente a liberar a las personas de las limitaciones impuestas por sus naturalezas físicas. Ha liberado a las personas del trabajo físico agotador, ha aumentado sobremanera la esperanza de vida, ha permitido superar muchos tipos de enfermedades y discapacidades, y ha multiplicado las experiencias y la información que cada uno de nosotros es capaz de procesar. Algunos tecnolibertarios imaginan un futuro en el que cada uno de nosotros pueda convertirse en una conciencia totalmente incorpórea que pueda cargarse en un ordenador, lo que, en la práctica, nos permitiría vivir eternamente. Nuestra experiencia del mundo se encuentra cada vez más mediatizada por pantallas que nos permiten imaginarnos fácilmente en realidades alternativas o como seres alternativos.

No obstante, el mundo real sigue siendo diferente: las voluntades están incorporadas en cuerpos físicos que estructuran y limitan el alcance de la voluntad individual. No está claro que la mayoría de la gente quiera liberarse de su propia naturaleza. Nuestras identidades individuales permanecen arraigadas en los cuerpos físicos con los que nacemos y en las interacciones de esos cuerpos con el entorno en el que vivimos. Quiénes somos como individuos es el resultado de la interacción de nuestras mentes conscientes y nuestros cuerpos físicos, y de los recuerdos de esas interacciones a lo largo del tiempo. Las emociones que experimentamos están arraigadas en la experiencia de nuestros cuerpos físicos. Y nuestros derechos como ciudadanos se basan en la necesidad de proteger tanto esos cuerpos físicos *como* nuestras mentes autónomas.

Un último principio general para una sociedad liberal estaría inspirado en una página del compendio de los griegos clásicos. Tenían un dicho: *μηδεν αγαν* (*mēden agan*), que significaba «nada en exceso», y consideraban la *σοφροσυνη* (*sophrosunē*), o «templanza», como una de las cuatro virtudes cardinales. Este énfasis en la moderación ha sido descartado en gran medida en los tiempos modernos: a los titulados universitarios se les dice habitualmente que «sigan su pasión», y las personas que viven de manera excesiva son criticadas únicamente si ello perjudica su salud física. La moderación implica y requiere autocontrol, un esfuerzo deliberado para *no* buscar la mayor emoción ni el máximo logro. La moderación se considera una limitación artificial al yo interior, cuya máxima expresión es considerada la fuente de la felicidad y del éxito humanos.

Pero los griegos no andaban desencaminados, tanto por lo que respecta a la vida individual como a la política. La moderación no es un mal principio político en líneas generales, especialmente para un orden liberal que aspiraba a calmar las pasiones políticas desde el principio. Si la libertad económica para comprar, vender e invertir es algo bueno, ello no significa que el hecho de eliminar todas las limitaciones a la actividad económica vaya a ser aún mejor. Si la autonomía personal es la fuente de la realización de un individuo, eso no significa que la libertad ilimitada y la constante eliminación de restricciones hagan que una persona se sienta más realizada. A veces, la realización surge de la aceptación de límites. Recuperar un sentido de la moderación, tanto individual como colectivo es, por tanto, la clave para el resurgimiento —de hecho, para la supervivencia— del propio liberalismo.

Bibliografía

Appelbaum, Binyamin, *The Economists' Hour: False Prophets, Free Markets, and the Fracture of Society*, Little, Brown, Boston (Massachusetts), 2019.

Berger, Suzanne, y Ronald Dore, *National Diversity and Global Capitalism*, Cornell University Press, Ithaca (Nueva York), 1996.

Bloom, Allan, *Giants and Dwarfs: Essays 1960-1990*, Simon and Schuster, Nueva York, 1990.

Bork, Robert H., y Philip Verveer, *The Antitrust Paradox: A Policy at War with Itself*, Free Press, Nueva York, 1993.

Breton, Albert, *The Economics of Transparency in Politics*, Ashgate, Aldershot (Inglaterra), 2007.

Bull, Reeve T., «Rationalizing Transparency Laws», *Yale Journal on Regulation Notice & Comment*, 30 de septiembre de 2021.

Burton, Tara Isabella, *Strange Rites: New Religions for a Godless World*, PublicAffairs, Nueva York, 2020.

Cass, Oren, *The Once and Future Worker: A Vision for the Renewal of Work in America*, Encounter Books, Nueva York, 2018.

Christman, John, *The Politics of Persons: Individual Autonomy and Socio-Historical Selves*, Cambridge University Press, Cambridge (Massachusetts) y Nueva York, 2009.

Coates, Ta-Nehisi, *Entre el mundo y yo*, traducción de Javier Calvo, Seix Barral, Barcelona, 2016.

Cudd, Ann, *Analyzing Oppression*, Oxford University Press, Nueva York, 2006.

Deneen, Patrick J., *¿Por qué ha fracasado el liberalismo?*, traducción de David Cerdá, Rialp, Madrid, 2019.

Derrida, Jacques, *De la gramatología*, traducción de Oscar del Barco y Conrado Ceretti, Siglo XXI Editores Argentina, Buenos Aires, 1971.

DiAngelo, Robin, *White Fragility: Why It's So Hard for White People to Talk About Racism*, Beacon Press, Boston (Massachusetts), 2020.

Dreher, Rod, *La opción benedictina: una estrategia para los cristianos en una sociedad postcristiana*, traducción de Consuelo del Val, Ediciones Encuentro, Madrid, 2018.

Fanon, Frantz, *The Wretched of the Earth*, Grove Press, Nueva York, 2004.

Fawcett, Edmund, *Sueños y pesadillas liberales en el siglo XXI*, traducción de Roberto Ramos Fontecoba, Página Indómita, Barcelona, 2019.

Ferguson, Niall, *Doom: The Politics of Catastrophe*, Penguin Press, Nueva York, 2021.

Foucault, Michel, *The Foucault Reader*, Pantheon Books, Nueva York, 1984.

—, *Historia de la locura en la época clásica*, traducción de Juan José Utrilla, Fondo de Cultura Económica, Madrid, 2000.

—, *Las palabras y las cosas: una arqueología de las ciencias humanas*, traducción de Elsa Cecilia Frost, 4.ª ed., Siglo XXI Editores de España, Madrid, 2006.

—, *Vigilar y castigar*, traducción de Aurelio Garzón, Biblioteca Nueva, Madrid, 2012.

Fukuyama, Francis, *Los orígenes del orden político: desde la prehistoria hasta la Revolución francesa*, traducción de Jorge Paredes Soberón, Deusto, Barcelona, 2016.

—, *Orden y decadencia de la política: desde la Revolución Industrial a la globalización de la democracia*, traducción de Jorge Paredes Soberón, Deusto, Barcelona, 2016.

—, *Identidad: la demanda de dignidad y las políticas de resentimiento*, traducción de Antonio García Maldonado, Deusto, Barcelona, 2019.

—, «Making the Internet Safe for Democracy», *Journal of Democracy*, 32 (2021), pp. 37-44.

Galston, William A., «Liberal Virtues», *American Political Science Review*, 82 (1988), pp. 1277-1290.

Gray, John, *Liberalismo*, traducción de María Teresa de Mucha, Alianza Editorial, Madrid, 2002.

—, *Liberalisms: Essays in Political Philosophy*, Routledge, Londres y Nueva York, 1989.

Gurri, Martin, *The Revolt of the Public and the Crisis of Authority in the New Millennium*, Stripe Press, San Francisco (California), 2018.

Haggard, Stephan, *Developmental States*, Cambridge University Press, Cambridge (Massachusetts) y Nueva York, 2018.

Haidt, Jonathan, *La mente de los justos: por qué la política y la religión dividen a la gente sensata*, traducción de Antonio García Maldonado, Deusto, Barcelona, 2019.

Hayek, Friedrich A., *Derecho, legislación y libertad*, traducción de Luis Reig, Unión Editorial, Madrid, 2018.

Hazony, Yoram, *La virtud del nacionalismo*, traducción de Ía Smertka-Kostsky, Ivat, Madrid, 2021.

Heinrich, Joseph, *The WEIRDest People in the World: How the West Became Psychologically Peculiar and Particularly Prosperous*, Farrar, Straus and Giroux, Nueva York, 2020.

Hofstadter, Richard, *The Paranoid Style in American Politics*, Vintage, Nueva York, 2008.

Jiao, Xiao-qiang, Nyamdavaa Mongol y Fu-suo Zhang, «The Transformation of Agriculture in China: Looking Back and Looking Forward», *Journal of Integrative Agriculture*, 17 (2018), pp. 755-764.

Kesler, Charles R., *Crisis of the Two Constitutions: The Rise, Decline, and Recovery of American Greatness*, Encounter Books, Nueva York, 2021.

Kendi, Ibrahim X., *How to Be an Antiracist*, One World, Londres, 2019.

LaFrance, Adrienne, «The Prophecies of Q», *The Atlantic*, junio de 2020.

Lessig, Lawrence, «Against Transparency: The Perils of Openness in Government», *The New Republic*, 19 de octubre de 2009.

Luce, Edward, *The Retreat of Western Liberalism*, Atlantic Monthly Press, Nueva York, 2017.

MacIntyre, Alasdair, *Tras la virtud*, traducción de Amelia Valcárcel, Crítica, Barcelona, 2004.

Marcuse, Herbert, *Eros y civilización*, traducción de Juan García Ponce, Ariel, Barcelona, 2010.

—, *El hombre unidimensional: ensayo sobre la ideología de la sociedad industrial avanzada*, traducción de Antonio Elorza, Ariel, Barcelona, 2010.

—, *La tolerancia represiva y otros ensayos*, traducción de Justo Pérez *et al.*, ed. de César de Vicente Hernando, Los Libros de la Catarata, Madrid, 2010.

Maslow, Abraham H., «A Theory of Human Motivation», *Psychological Review*, 50 (1950).

McCloskey, Deirdre N., *Bourgeois Dignity: Why Economics Can't Explain the Modern World*, University of Chicago Press, Chicago (Illinois), 2010.

—, *Why Liberalism Works: How True Liberal Values Produce a Freer,*

More Equal, Prosperous World for All, Yale University Press, New Haven (Connecticut), 2019.

Melnick, R. Shep, *The Transformation of Title IX: Regulating Gender Equality in Education*, Brookings Institution Press, Washington, D.C., 2018.

Milanovic, Branko, *Desigualdad mundial: un nuevo enfoque para la era de la globalización*, traducción de Mariana Hernández, Fondo de Cultura Económica, Ciudad de México, 2018.

Mills, Charles W., *Black Rights/White Wrongs: The Critique of Racial Liberalism*, Oxford University Press, Nueva York, 2017.

—, *The Racial Contract*, Cornell University Press, Ithaca (Nueva York), 1997.

Mishra, Pankaj, *Bland Fanatics: Liberals, Race, and Empire*, Farrar, Straus and Giroux, Nueva York, 2020.

North, Douglass C., *Instituciones, cambio institucional y desempeño económico*, traducción de Agustín Barcena, Fondo de Cultura Económica, Ciudad de México, 2012.

Nozick, Robert, *Anarchy, State, and Utopia*, Basic Books, Nueva York, 1974.

Olson, Mancur, *The Logic of Collective Action: Public Goods and the Theory of Groups*, Harvard University Press, Cambridge (Massachusetts), 1965.

Ostrom, Elinor, *El gobierno de los bienes comunes: la evolución de las instituciones de acción colectiva*, traducción de Corina de Iturbide y Adriana Sandoval, Fondo de Cultura Económica, Ciudad de México, 2011.

Packer, Dominic J., y Jay J. Van Bavel, *The Power of Us: Harnessing Our Shared Identities to Improve Performance, Increase Cooperation, and Promote Social Harmony*, Little, Brown Spark, Nueva York y Boston, 2021.

Pateman, Carole, *El contrato sexual*, traducción de María Luisa Femenías, Ménades Editorial, Madrid, 2019.

Pateman, Carole, y Charles W. Mills, *Contract and Domination*, Polity Press, Cambridge (Inglaterra), 2007.

Philippon, Thomas, *The Great Reversal: How America Gave Up on Free Markets*, Belknap/Harvard University Press, Cambridge (Massachusetts), 2019.

Pocock, J. G. A., *El momento maquiavélico: el pensamiento político florentino y la tradición republicana atlántica*, traducción de Eloy García, Tecnos, Madrid, 2019.

Pomerantsev, Peter, *Nothing Is True and Everything Is Possible: The Surreal Heart of The New Russia*, PublicAffairs, Nueva York, 2014.

Pomeranz, Kenneth, *The Great Divergence: China, Europe, and the Making of the Modern World Economy*, Princeton University Press, Princeton (Nueva Jersey), 2000.

Putnam, Robert D., y David E. Campbell, *American Grace: How Religion Divides and Unites Us*, Simon and Schuster, Nueva York, 2010.

Rauch, Jonathan, *The Constitution of Knowledge: A Defense of Truth*, Brookings Institution Press, Washington, D. C., 2021.

Rawls, John, *Teoría de la justicia*, traducción de María Dolores González, Fondo de Cultura Económica, Madrid, 1997.

Rodgers, Daniel T., *Age of Fracture*, Belknap/Harvard University Press, Cambridge (Massachusetts), 2011.

Rosenblatt, Helena, *La historia olvidada del liberalismo: desde la antigua Roma hasta el siglo XXI*, traducción de Yolanda Fontal, prólogo de José María Lassalle, Crítica, Barcelona, 2020.

Said, Edward, *Orientalismo*, traducción de C. Pera, María L. Fuentes y E. Benito, Debate, Barcelona, 2016.

Sandel, Michael J., «The Procedural Republic and the Unencumbered Self», *Political Theory*, 12 (1984), pp. 81-96.

—, *El liberalismo y los límites de la justicia*, traducción de María Luz Melón, Gedisa, Barcelona, 2000.

Saussure, Ferdinand de, *Curso de lingüística general*, traducción de Mauro Armiño, Akal, Madrid, 2013.

Schmitt, Carl, *Teología política*, traducción de Francisco J. Conde y Jorge Navarro, Trotta, Madrid, 2009.

Shara, Michael, *The Killer Angels*, Ballantine Books, Nueva York, 1974.

Siedentop, Larry, *Inventing the Individual: The Origins of Western Liberalism*, Allen Lane, Londres, 2014.

Sokal, Alan D., y Alan Bricmont, *Fashionable Nonsense: Postmodern Intellectuals' Abuse of Science*, Picador, Nueva York, 1999.

Vermeule, Adrian, «Beyond Originalism», *The Atlantic*, 31 de marzo de 2020.

Walzer, Michael, *Spheres of Justice: A Defense of Pluralism and Equality*, Basic Books, Nueva York, 1983.

Wooldridge, Adrian, *The Aristocracy of Talent: How Meritocracy Made the Modern World*, Skyhorse Publishing, Nueva York, 2021.

Ziblatt, Daniel, *Conservative Parties and the Birth of Democracy*, Cambridge University Press, Nueva York, 2017.

Zuckerman, Ethan, *Mistrust: Why Losing Faith in Institutions Provides the Tools to Transform them*, W. W. Norton, Nueva York, 2020.